어떻게 시작할까요?

똑똑한 글쓰기 질문
하나!

글쓰기 공부 왜 필요할까요?

자신의 생각을 표현하는 수단이자 모든 학습의 바탕이 되는 활동이 바로 글쓰기예요. 특히 배운 내용을 정리하고, 이해한 것을 글로 풀어내는 글쓰기 능력은 모든 과목 학습 성취에 큰 영향을 끼친답니다.

똑똑한 글쓰기 질문
둘!

계속되는 글쓰기 공부의 실패 원인은 무엇일까요?

글쓰기를 시작하는 순간부터 아이들은 무엇을 써야 할지, 어떻게 표현할지, 어떻게 고쳐야 자연스러울지 등 많은 고민을 하게 되고, 이를 힘들어한답니다. 이렇게 복잡하고 어려운 글쓰기 과정이 익숙해지지 않았을 때 "이것 한번 써 보렴." 하고 과제를 주면 돌아오는 대답은 "엄마, 글쓰기가 싫어요!"일 수밖에 없을 거예요. 그래서 『똑똑한 하루 글쓰기』는 아이들이 차츰 글쓰기에 익숙해지고 재미를 붙여 나갈 수 있도록 만들었답니다.

똑똑한 글쓰기 질문
셋!

글쓰기 공부 어떻게 시작해야 할까요?

쉽고 재미있는 『똑똑한 하루 글쓰기』로 시작해 보세요. 만화와 게임 형식의 문제로 글쓰기 개념을 익히고, 낱말 쓰기부터 한 편 쓰기까지 단계별로 글쓰기를 연습할 수 있어요. 그리고 받아쓰기를 통해 맞춤법 실력을 키우고, 내 생각 쓰기로 마무리하며 창의적 글쓰기까지 연습할 수 있답니다. 하루하루 꾸준히 공부해서 한 권을 끝내면 글쓰기 실력과 함께 자신감도 쑥쑥 자랄 거예요.

진짜 똑똑한 글쓰기를 시작해 볼까요?

이 책의 특징과 장점

똑똑한 하루 글쓰기로 똑똑해지자!

지잉~

여기가 지구별이군! 드디어 글쓰기를 배울 수 있겠어!

너도 같이 글쓰기 공부 할래? 말할 수 있게 되어라~! 빠밤!

지잉~

응?

글쓰기 공부를 꼭 해야 해?

자신의 생각을 잘 표현하고, 모든 과목의 기초를 쌓기 위해 글쓰기는 필수라고.

너희도 글쓰기 공부 할 거니? 같이 하자.

하지만 이 글쓰기책은 너무 지루한걸.

쉽고 재미있는 글쓰기책도 있다고!

똑똑한 하루 글쓰기!
왜 똑똑한 하루 글쓰기일까요?

1 10분이면 하루 글쓰기 끝! 쉽고 재미있는 글쓰기 공부!

2 교과 학습 과정을 반영한 **갈래별 글쓰기!** 매주 다양한 갈래로 즐거운 학습!

3 **단계별 글쓰기**로 글쓰기 실력 향상! 낱말 쓰기부터 한 편 쓰기까지!

4 **받아쓰기**로 기초 실력 다지기! 맞춤법 실력이 쑥쑥!

5 **창의·융합·코딩**으로 사고력 넓히기! 생활 어휘부터 코딩 학습까지!

구성과 활용 방법

주 도입

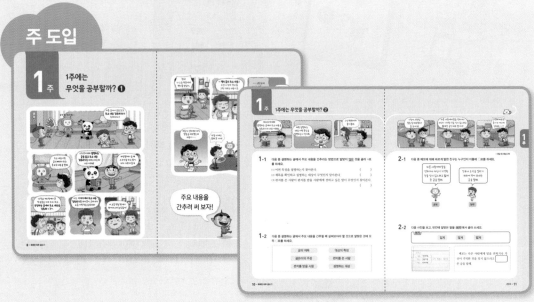

한 주 동안 공부할 내용을 만화로 미리 살펴보고, 한 주의 글쓰기 개념을 만화와 문제로 확인합니다.

똑똑한 하루 글쓰기 코스

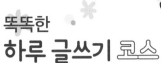

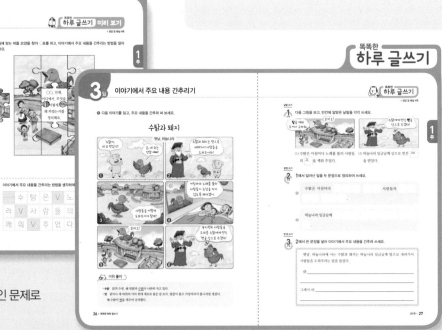

글쓰기 개념 익히기

캐릭터들의 재미있는 대화와 게임 형식의 확인 문제로 핵심 글쓰기 개념을 익힙니다.

단계별 글쓰기

다양한 글쓰기 상황을 살펴보고, '낱말 쓰기 → 문장 쓰기 → 한 편 쓰기'를 단계별로 학습하며 쉽고 재미있게 글쓰기를 연습합니다.

받아쓰기

'따라 쓰기 → 낱말 받아쓰기 → 문장 받아 쓰기'를 통해 글쓰기 개념에 맞는 문장을 익히고 맞춤법 실력을 다집니다.

내 생각 쓰기로 마무리

하루 학습 목표에 맞게 제시된 주제에 대한 내 생각 쓰기로 하루의 글쓰기 학습을 마무리합니다.

생활 어휘

생활 속에서 자주 쓰는 속담과 관용어의 뜻과 쓰임을 만화로 익힙니다.

창의·융합·코딩 미션

게임 형식의 창의·융합·코딩 미션을 해결하며 재미있게 한 주의 중요 어휘를 확인하고 다양한 배경지식을 넓힙니다.

누구나 100점 테스트

한 주 동안 공부한 내용을 평가하며 갈래별 글쓰기 실력을 확인합니다.

친구들과 약속해요!

우리 같이 약속해요!

첫째, 하루하루 빠짐없이 꾸준히 공부하기!

둘째, 하루 글쓰기 문제 끝까지 다 풀기!

셋째, 또박또박 바르게 글씨 쓰기!

약속하는 사람 _____

쉽고 재미있는
『똑똑한 하루 글쓰기』로
첫 글쓰기 공부를 시작해 봐요.

똑똑한

하루
글쓰기

2 단계
B
1~2학년

1주

1주에는 무엇을 공부할까? ❶

주요 내용을
간추려 써 보자!

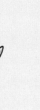

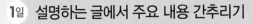

1-1 다음 중 설명하는 글에서 주요 내용을 간추리는 방법으로 알맞지 <u>않은</u> 것을 골라 ×표를 하세요.

(1) 어떤 특징을 설명하는지 찾아본다. ( )

(2) 제목을 확인하고 설명하는 대상이 무엇인지 알아본다. ( )

(3) 편지를 쓴 사람이 편지를 받을 사람에게 전하고 싶은 말이 무엇인지 찾아본다.

( )

1-2 다음 중 설명하는 글에서 주요 내용을 간추릴 때 살펴보아야 할 것으로 알맞은 것에 모두 ○표를 하세요.

글의 제목	대상의 특징
글쓴이의 주장	편지를 쓴 사람
편지를 받을 사람	설명하는 대상

▶ 정답 및 해설 2쪽

2-1 다음 중 메모에 대해 바르게 말한 친구는 누구인지 이름에 ○표를 하세요.

다른 사람에게 말을 전하거나 자신이 기억한 것을 잊지 않으려고 짧게 쓴 글을 말해.

글봇

안부나 소식을 알리기 위하여 적어 보내는 글을 말해.

달래

2-2 다음 사진을 보고, 빈칸에 알맞은 말을 보기 에서 골라 쓰세요.

보기

길게　　　많게　　　짧게

요약!!
· 상류 — 침식작용
· 중류 — 운반작용 ─ 제일 활발히 일어남.
· 하류 — 퇴적작용

메모는 다른 사람에게 말을 전하거나 자신이 기억한 것을 잊지 않으려고 ☐ 쓴 글을 말해.

설명하는 글에서 주요 내용 간추리기

설명하는 글에서 **주요 내용**을 간추려 써 보자!

글에서 주요 내용이란 글의 뼈대가 되는 중요한 내용을 말해요.

설명하는 글에서 주요 내용을 간추릴 때에는

제목을 확인하고, 설명하는 대상이 무엇인지 알아봐요.

그리고 어떤 특징을 설명하는지 찾아서 정리해요.

1주

○ 설명하는 글에서 주요 내용을 간추리는 방법에 맞게 빈칸에 알맞은 말을 쓰고, 퍼즐판에서 찾아 ○표를 하세요.

❶ 제 목 을 확인하고, 설명하는 대상이 무엇인지 알아봐요.

대상의 어떤 ❷ ☐ ☐ 을 설명하는지 찾아서 정리해요.

설	명	된	특
누	가	장	징
제	고	사	랑
목	밭	주	요

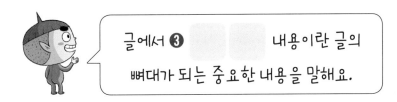

글에서 ❸ ☐ ☐ 내용이란 글의 뼈대가 되는 중요한 내용을 말해요.

○ 다음 설명하는 글을 읽고, 주요 내용을 간추려 써 보세요.

돋보기

우리는 작은 물건을 크게 보고 싶을 때 돋보기를 사용합니다. 돋보기에는 손잡이와 렌즈가 있습니다.

돋보기를 사용할 때 잡는 곳이 손잡이입니다. 엄지손가락과 나머지 손가락으로 감싸듯이 잡습니다. 돋보기 렌즈가 조금 무거우므로 손잡이를 단단히 잡도록 합니다.

물건을 크게 볼 수 있게 하는 것이 렌즈입니다. 렌즈는 투명한 색으로 가운데가 볼록해서 물건이 크게 보이도록 합니다.

 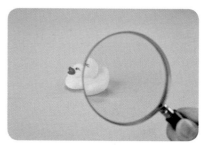

🐭 어휘 풀이

▼ **렌즈** 유리나 수정을 볼록하거나 오목하게 깎아서 물체가 크거나 작게 보이도록 만든 물건.
  ㉥ 돋보기 렌즈의 초점을 맞추고 물건을 들여다보았다.
▼ **볼록해서** 물체의 겉 부분이 조금 도드라지거나 튀어나와 있는 상태여서.
  ㉥ 동생의 배가 볼록해서 무엇이 들어 있는 줄 알았다.

▶ 정답 및 해설 2쪽

낱말 쓰기

1
단계

다음 사진을 보고, 빈칸에 알맞은 낱말을 각각 쓰세요.

렌즈

손잡이

(1) 작은 물건을 크게 보고 싶을 때 ㄷ ㅂ ㄱ 를 사용한다.

(2) 돋보기를 사용할 때 잡는 곳이 ㅅ ㅈ ㅇ 이다.

(3) 물건을 크게 볼 수 있게 하는 것이 ㄹ ㅈ 이다.

1
주

문장 쓰기

2
단계

1에서 쓴 내용을 두 문장으로 정리하여 쓰세요.

❶ 작은 물건을   싶을 때

     .

❷ 돋보기를   손잡이이고, 물

건을   있게 하는 것이   .

한 편 쓰기

3
단계

2에서 쓴 문장을 넣어 설명하는 글에서 주요 내용을 간추려 쓰세요.

작은 물건을 크게 보고 싶을 때 ❶ _____

_____

❷ _____

_____

1
따라 쓰기

잘 듣고, 따라 쓰세요.

❶ 엄 지 손 가 락

❷ 감 싸 듯 이 V 잡 습 니 다 .

2
낱말
받아쓰기

잘 듣고, 빈칸에 알맞은 낱말을 받아쓰세요.

❶ 돋보기로 [　　][　　] 를 관찰했다.

❷ [　][　][　] 에서 큰 돋보기를 보았다.

3
문장
받아쓰기

잘 듣고, 사진에 알맞은 문장을 받아쓰세요.

			V						V

▶ 정답 및 해설 2쪽

◉ 다음은 설명하는 글이에요. 잘 읽고, 빈칸에 알맞은 말을 보기 에서 각각 골라 주요 내용을 간추려 쓰세요.

1
주

여름 제철 과일

여름 제철 과일은 우리 몸을 건강하게 합니다. 여름 제철 과일에는 수박, 포도, 복숭아 등이 있습니다.

특히 수박은 땀을 많이 흘리는 여름에 우리 몸에 수분을 보충해 줍니다. 포도는 피로를 회복시켜 줍니다. 복숭아는 우리의 피부를 맑고 좋게 합니다.

▼ **제철** 알맞은 시기나 때.

▲ 수박

▲ 포도

▲ 복숭아

보기

포도	과일
제철	건강하게

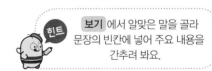
힌트 보기 에서 알맞은 말을 골라 문장의 빈칸에 넣어 주요 내용을 간추려 봐요.

	여	름	V			V			인	V
수	박	,			,		복	숭	아	는	V
우	리	V	몸	을	V					V
한	다	.								

주장하는 글에서 주요 내용 간추리기

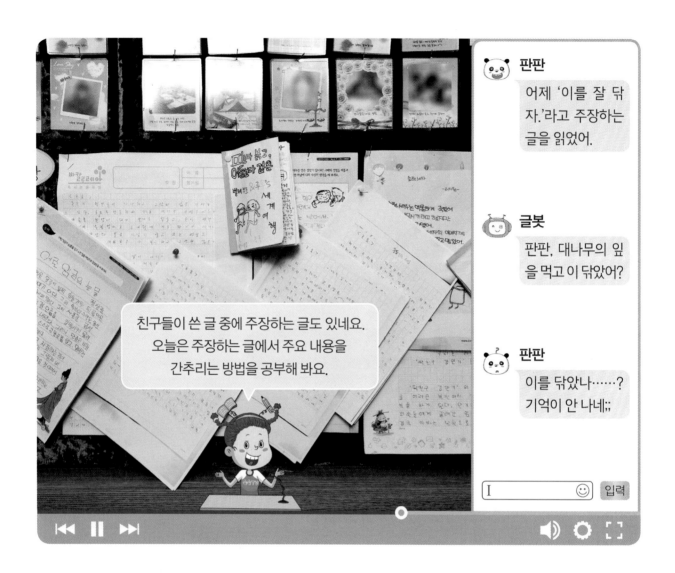

판판
어제 '이를 잘 닦자.'라고 주장하는 글을 읽었어.

글봇
판판, 대나무의 잎을 먹고 이 닦았어?

판판
이를 닦았나……?
기억이 안 나네;;

친구들이 쓴 글 중에 주장하는 글도 있네요.
오늘은 주장하는 글에서 주요 내용을
간추리는 방법을 공부해 봐요.

주장하는 글에서 주요 내용을 간추려 써 보자!

주장하는 글에서 주요 내용을 간추려 쓸 때에는

먼저 제목을 보고 무엇에 대한 내용인지 짐작해 봐요.

그리고 글쓴이가 하고 싶은 말과 글쓴이가 그렇게 말한 까닭이

무엇인지 찾아서 정리해요.

◉ 사다리 타기를 하여 도착한 곳의 낱말을 따라 쓰며, 주장하는 글에서 주요 내용을 간추려 쓰는 방법에 대해 알아보아요.

1
주

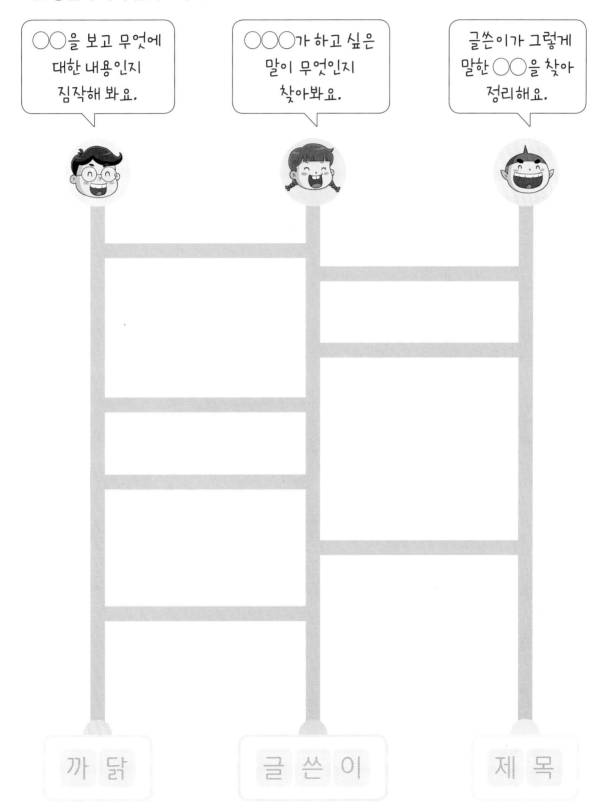

○○을 보고 무엇에 대한 내용인지 짐작해 봐요.

○○○가 하고 싶은 말이 무엇인지 찾아봐요.

글쓴이가 그렇게 말한 ○○을 찾아 정리해요.

까닭

글쓴이

제목

● 다음 주장하는 글을 읽고, 주요 내용을 간추려 써 보세요.

일기를 꼬박꼬박 잘 쓰자

일기는 우리가 매일 겪은 일이나 생각, 느낌 등을 적은 글이다. 일기를 쓰면 어떤 좋은 점이 있는지 알아보자.

첫째, 일기를 쓰면 하루 생활을 돌아보며 잘못된 행동을 했을 때 나의 모습을 반성할 수 있다.

둘째, 일기를 쓰기 위해 하루 일을 떠올리면서 여러 가지 생각을 하게 되고, 그것을 글로 정리해 보는 것이므로 일기를 꾸준히 쓰다 보면 글쓰기 실력이 좋아진다.

매일 쓰는 일기가 귀찮을 수 있지만 일기를 꾸준히 쓰면 좋은 점이 많으므로 우리 모두 일기를 꼬박꼬박 잘 쓰도록 노력하자.

🐭 **어휘 풀이**

▼**반성**│돌이킬 반 反, 살필 성 省│ 자신의 말과 행동에 대하여 잘못이나 부족함이 없는지 돌이켜 봄.
　　예 부모님께 버릇없이 행동한 일에 대해 반성했다.
▼**꾸준히** 한결같이 부지런하고 끈기가 있는 태도로. **예** 꾸준히 노력해서 시험에 합격했다.
▼**꼬박꼬박** 조금도 어김없이 고대로 계속하는 모양. **예** 내 짝꿍은 숙제를 꼬박꼬박 잘해 온다.

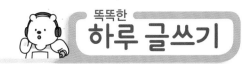
낱말 쓰기

1단계 다음 그림을 보고, 글쓴이가 하고 싶은 말은 무엇인지 빈칸에 알맞은 낱말을 쓰세요.

일기를 꼬박꼬박 잘 쓰면 좋겠어.

| ○ | ㄱ | 를 꼬박꼬박 잘 쓰자.

1주

문장 쓰기

2단계 글쓴이가 **1**에서 답한 것과 같이 말한 까닭 두 가지는 무엇인지 빈칸에 알맞은 말을 **보기** 에서 골라 쓰세요.

보기

글쓰기 실력이   반성할 수 있고

나의 모습을   ,

좋아진다.

한 편 쓰기

3단계 **1**과 **2**에서 쓴 내용을 넣어 주장하는 글에서 주요 내용을 간추려 쓰세요.

					∨	꼬	박	꼬	박	∨
잘	∨			.	왜	냐	하	면	∨	
나	의	∨	모	습	을	∨				∨
	∨			,				∨		
		∨	좋	아	지	기	∨	때	문	
이	다	.								

1 잘 듣고, 따라 쓰세요.

따라 쓰기

❶ | | 하 | 루 | V | 생 | 활 | 을 | | |

❷ | | 귀 | 찮 | 을 | V | 수 | V | 있 | 지 | 만 |

2 잘 듣고, 빈칸에 알맞은 낱말을 받아쓰세요.

낱말 받아쓰기

❶ 일기를 | | | | 쓰자.

❷ 일기를 쓰면 | | | 점이 많다.

3 잘 듣고, 사진에 알맞은 문장을 받아쓰세요.

문장 받아쓰기

| | | | V | | V | |

| | V | | | | | | |

▶ 정답 및 해설 3쪽

● 다음은 희수가 학급 게시판에 쓴 주장하는 글이에요. 빈칸에 알맞은 말을 넣어 주요 내용을 간추려 쓰세요.

친구들아, 할 말이 있어

작성자 김희수   작성일 20○○. 5. 13. 15:33   IP *.*.*.240   댓글 0   조회수 35

　친구들아, 스마트폰 사용 시간을 줄이자. 스마트폰을 오래 사용하면 눈 건강에 좋지 않아. 스마트폰을 오래 보는 사람일수록 시력이 더 나쁘다는 연구 결과를 본 적이 있어.

　그리고 스마트폰을 오래 사용하면 공부나 독서하는 시간도 줄어들 수 있어. 스마트폰을 사고 나서 공부나 독서하는 시간이 줄었다는 친구들이 많아.

　스마트폰 사용 시간을 줄여서 눈 건강도 지키고, 공부와 독서를 열심히 했으면 좋겠어.

로그인 후 사용 가능합니다.   댓글 작성

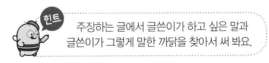

힌트   주장하는 글에서 글쓴이가 하고 싶은 말과 글쓴이가 그렇게 말한 까닭을 찾아서 써 봐요.

글쓴이가 하고 싶은 말	스마트폰 _____.
글쓴이가 그렇게 말한 까닭	• _____ • 스마트폰을 오래 사용하면 공부나 독서하는 시간이 줄어든다.

3일 이야기에서 주요 내용 간추리기

기찬
「수탉과 돼지」, 나도 재미있게 읽은 이야기야.

글봇
그래? 어떤 내용인지 궁금해.

밤톨
주요 내용을 간추려서 말해 줘.

이야기 「수탉과 돼지」의 한 장면이에요.
오늘은 「수탉과 돼지」를 읽고,
주요 내용을 간추려 써 보아요.

이야기 에서 주요 내용 을 간추려 써 보자!

이야기에서 주요 내용을 간추려 쓸 때에는

인물이 한 일을 중심으로 내용을 정리해 봐요.

누가, 언제, 어디에서, 무엇을, 어떻게, 왜 하였는지가

잘 드러나도록 정리하면 좋아요.

● 그림에 맞는 퍼즐 모양을 찾아 ○표를 하고, 이야기에서 주요 내용을 간추리는 방법을 알아 보아요.

○○, 언제, 어디에서, 무엇을, 어떻게, 왜 하였는지를 정리해요.

누가

작가

 이야기에서 주요 내용을 간추리는 방법을 생각하며 문장을 따라 쓰세요.

수	탉	은	V	노	래	를	V	불
러	V	사	람	들	의	V	잠	을	V
깨	워	V	주	었	다	.

이야기에서 주요 내용 간추리기

○ 다음 이야기를 읽고, 주요 내용을 간추려 써 보세요.

수탉과 돼지

🐹 어휘 풀이

▼**수탉** 닭의 수컷. ⑩ 암탉과 수탉이 나란히 자고 있다.

▼**볏** 닭이나 새 따위의 이마 위에 세로로 붙은 살 조각. 빛깔이 붉고 가장자리가 톱니처럼 생겼다.
　　⑩ 수탉이 볏을 세우며 공격했다.

낱말 쓰기

다음 그림을 보고, 빈칸에 알맞은 낱말을 각각 쓰세요.

(1) 수탉은 아침마다 노래를 불러 사람들의 ㅈ 을 깨워 주었다.

(2) 하늘나라 임금님께 상으로 멋진 ㅂ 을 받았다.

문장 쓰기

1에서 일어난 일을 두 문장으로 정리하여 쓰세요.

❶ 수탉은 아침마다 _____ 사람들의 _____ .

❷ 하늘나라 임금님께 _____ .

한 편 쓰기

2에서 쓴 문장을 넣어 이야기에서 주요 내용을 간추려 쓰세요.

옛날, 하늘나라에 사는 수탉과 돼지는 하늘나라 임금님께 땅으로 내려가서 사람들을 도와주라는 말을 들었다.

❶ _____

_____

그래서 ❷ _____

_____

1 잘 듣고, 따라 쓰세요.
따라 쓰기

❶ | | 내 | V | 코 | V | 멋 | 있 | 지 | ? | |

❷ | 정 | 말 | V | 예 | 뻐 | ! | | | |

2 잘 듣고, 빈칸에 알맞은 낱말을 받아쓰세요.
낱말
받아쓰기

❶ 사람들을 [ ] [ ] [ ] 도와주어야 할까?

❷ 사람들이 [ ] [ ] 을 잤다.

3 잘 듣고, 그림에 알맞은 문장을 받아쓰세요.
문장
받아쓰기

| | 수 | 탉 | 은 | V | | | | | V |
| | | | V | | | | | |

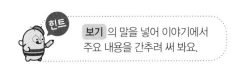
▶ 정답 및 해설 4쪽

● 다음은 「수탉과 돼지」의 다른 부분 이야기예요. 잘 읽고, 빈칸에 알맞은 말을 보기 에서 골라 주요 내용을 간추려 쓰세요.

보기

코가 납작해지는

게으름을 피워서

힌트 보기 의 말을 넣어 이야기에서 주요 내용을 간추려 써 봐요.

	돼	지	는	∨				∨
			∨	하	늘	나	라	∨	임
금	님	께	∨			∨		
		∨	벌	을	∨	받	았	다	.

4일 편지글에서 주요 내용 간추리기

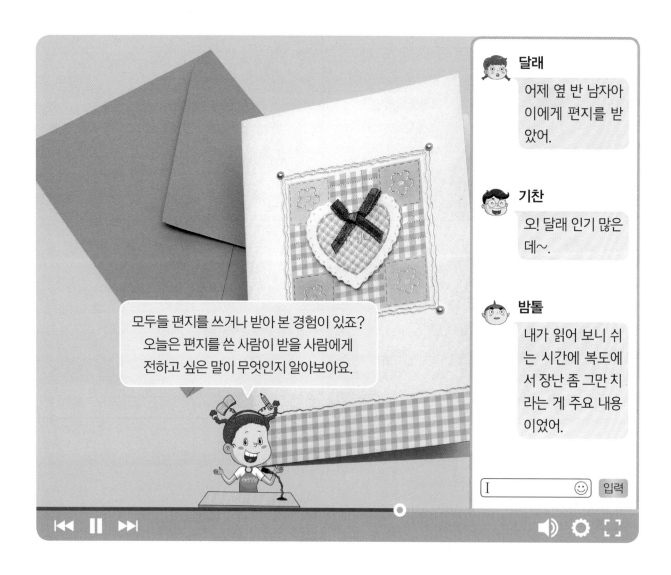

모두들 편지를 쓰거나 받아 본 경험이 있죠?
오늘은 편지를 쓴 사람이 받을 사람에게
전하고 싶은 말이 무엇인지 알아보아요.

달래
어제 옆 반 남자아이에게 편지를 받았어.

기찬
외! 달래 인기 많은데~.

밤톨
내가 읽어 보니 쉬는 시간에 복도에서 장난 좀 그만 치라는 게 주요 내용이었어.

I   😊   입력

편지글에서 주요 내용을 간추려 써 보자!

편지글에서 주요 내용을 간추려 쓸 때에는

편지를 쓴 사람이 편지를 받을 사람에게

전하고 싶은 말이 무엇인지 찾아서 정리해요.

▶정답 및 해설 5쪽

◎ 편지글에서 주요 내용을 간추려 쓰는 방법에 맞게 빈칸에 알맞은 말을 따라 쓰세요.

편지를 쓴 사람이 편지를 받을 사람에게 전하고 싶은 말이 무엇인지 찾아서 정리해요.

◎ 위에서 따라 쓴 낱말을 모두 찾아 색칠해 보고, 어떤 모양이 나오는지 알아보아요.

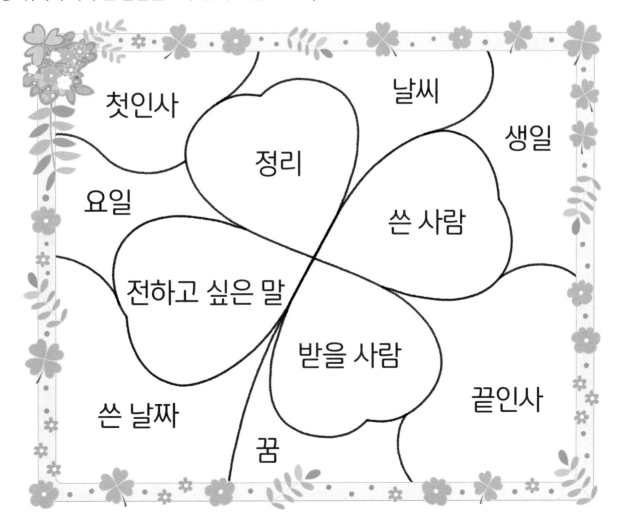

첫인사　　날씨　　생일

정리

요일

쓴 사람

전하고 싶은 말

받을 사람

쓴 날짜　　끝인사

꿈

편지글에서 주요 내용 간추리기

● 다음 편지글을 읽고, 주요 내용을 간추려 써 보세요.

서윤이에게

서윤아, 안녕?

▼이사 간 곳에서 잘 지내고 있지?

네가 이사 간 지 벌써 세 달이 되었구나. 매일 붙어 다니다가 이렇게 오래 떨어져 지내니 네가 너무 보고 싶어.

한 달 뒤에 우리 가족과 너희 가족이 함께 ▼캠핑을 가는 날만 ▼손꼽아 기다리고 있어. 그때 만나서 우리 재미있게 놀자.

그럼 만나는 날까지 건강하게 잘 지내.

20○○년 4월 10일
사랑하는 친구 다미가

🐭 **어휘 풀이**

▼**이사** |옮길 이 移, 옮길 사 徙| 사는 곳을 다른 데로 옮김. 예 삼촌께서 회사 근처로 이사를 가셨다.

▼**캠핑** 산이나 들 또는 바닷가 따위에서 텐트를 치고 야영함. 또는 그런 생활.
예 고모께서는 친구들과 함께 캠핑을 가셨다.

▼**손꼽아 기다리고** 기대에 차 있거나 안타까운 마음으로 날짜를 세어 가며 기다리고.
예 동생은 자기 생일날만 손꼽아 기다리고 있다.

낱말 쓰기

1

다음 그림을 보고, 빈칸에 알맞은 낱말을 각각 쓰세요.

(1) 서윤이가 너무 ☐☐ 싶다.

(2) 한 달 뒤에 ☐☐ 을 가서 재미있게 놀고 싶다.

문장 쓰기

2

1에서 쓴 내용을 두 문장으로 정리하여 쓰세요.

❶　서윤이가　　　　　　　　　　　　　　　　　　　.

❷　한 달 뒤에　　　　　　　　　　　　　　　　놀고 싶다.

한 편 쓰기

3

2에서 쓴 문장을 넣어 편지글에서 주요 내용을 간추려 쓰세요.

	❶서	윤	이	가	V			V	
	V	싶	고	,	❷한	V	달	V	뒤
에	V			V			V		
			V			V			.

똑똑한
하루 글쓰기 받아쓰기

1 잘 듣고, 따라 쓰세요.

따라 쓰기

❶

| 잘 | V | 지 | 내 | 고 | V | 있 | 지 | ? |

❷

| 손 | 꼽 | 아 | V | 기 | 다 | 리 | 고 |

2 잘 듣고, 빈칸에 알맞은 낱말을 받아쓰세요.

낱말
받아쓰기

❶ 이사 간 지 ⬜⬜ 세 달이 되었구나.

❷ 오래 ⬜⬜⬜ 지내니 네가 너무 보고 싶어.

3 잘 듣고, 그림에 알맞은 문장을 받아쓰세요.

문장
받아쓰기

만나는
날까지…….

| 만 | 나 | 는 | V | 날 | 까 | 지 | V | |
| | | | V | | V | | | |

● 다음은 편지글이에요. 잘 읽고, 빈칸에 알맞은 말을 보기 에서 각각 골라 주요 내용을 간추려 쓰세요.

희수에게

희수야, 주말은 잘 보냈니?

지난주 금요일에 학교를 마치고 축구를 하다가 내 마음대로 되지 않는다고 화를 내서 정말 미안해.

열심히 축구 연습을 했는데 우리 편이 지니까 나도 모르게 화가 났어. 앞으로는 내 기분대로 화내지 않을게. 그러니까 화 풀고 우리 예전처럼 사이좋게 지내자.

그럼 안녕.

20○○년 5월 6일

지온이가

보기

화해하고 싶다

화를 내서 미안하고

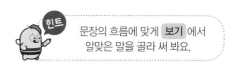
힌트 문장의 흐름에 맞게 보기 에서 알맞은 말을 골라 써 봐요.

희	수	에	게	V			V
V				V	희	수	와	V
			V		.		

5일 메모하기

판판
> 메모는 어떻게 해?

달래
> 무조건 짧게만 쓰면 돼.

글봇
> 으이구! 그러면 중요한 내용을 알 수 없잖아.

오늘은 앞에서 배운 주요 내용 간추리기를 활용해서 생활 속에서 간단하게 메모하는 방법을 공부해 봐요~.

중요한 내용을 간추려 메모를 해 보자!

메모는 다른 사람에게 말을 전하거나

자신이 기억한 것을 잊지 않으려고 짧게 쓴 글을 말해요.

메모를 해 두면 시간이 흐른 뒤에도 듣고 보고 생각한 것을 떠올리는 데 도움이 돼요.

메모를 할 때에는 중요한 내용을 쓰고, 중요한 낱말을 중심으로 짧게 써야 해요.

▶ 정답 및 해설 6쪽

◉ 메모를 하는 방법에 맞게 빈칸에 알맞은 말을 쓰고, 퍼즐판에서 찾아 ○표를 하세요.

1
주

메모를 할 때에는 중요한
❶ 내 용 을 써요.

메모를 할 때에는 중요한 낱말을
중심으로 ❷ ☐ ☐ 써요.

내	기	사	문
용	메	모	자
서	울	보	리
재	주	짧	게

❸ ☐ ☐ 는 다른 사람에게
말을 전하거나 자신이 기억한 것을
잊지 않으려고 짧게 쓴 글을 말해요.

5일 메모하기

◎ 다음 만화를 읽고, 선생님 말씀에서 중요한 내용을 메모해 보세요.

🐹 어휘 풀이

▼ **소풍**|노닐 소 逍, 바람 풍 風| 학교에서, 자연 관찰이나 역사 유적 따위의 견학을 겸하여 야외로 갔다 오는 일. 예 동생은 내일 소풍을 간다고 들떠 있었다.

▼ **복장**|입을 복 服, 꾸밀 장 裝| 옷을 차려입은 모양.
예 야외 활동을 할 때에는 편한 복장이 좋다.

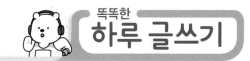

▶정답 및 해설 6쪽

낱말 쓰기

다음 그림을 보고, 선생님이 어떤 말씀을 하셨는지 빈칸에 알맞은 낱말을 각각 쓰세요.

(1) 9시까지 학교 ☐☐☐ 으로 모이세요.

(2) 준비물은 ☐☐☐, 간식, 물, 모자, 돗자리예요.

문장 쓰기

1에서 쓴 내용을 바탕으로 소풍을 가기 전에 알아 둘 것을 간단하게 정리해 보세요.

❶ • 모이는 시각과 장소: 까지   으로

❷ •   :   , 간식, 물,   , 돗자리

한 편 쓰기

2에서 쓴 내용을 넣어 선생님의 말씀에서 중요한 내용을 메모해 보세요.

소풍을 가기 전에 알아 둘 것

• 모이는 시각과 장소: ❶_____

• 준비물: ❷_____

_____

• 편한 복장

1

따라 쓰기

잘 듣고, 따라 쓰세요.

❶ 출 발 할 ∨ 거 예 요 .

❷ 편 한 ∨ 복 장 으 로

2

낱말
받아쓰기

잘 듣고, 빈칸에 알맞은 낱말을 받아쓰세요.

❶ 메모를 하지 않아서 [ ][ ] 이 안 나요!

❷ 기찬이에게 물어보고 [ ][ ] 드릴게요.

3

문장
받아쓰기

잘 듣고, 그림에 알맞은 문장을 받아쓰세요.

엄 마 , 내 일 ∨

∨ ∨

◉ 다음 만화를 읽고, 빈칸에 알맞은 말을 넣어 수혁이가 쓴 메모를 완성하세요.

		할	머	니	께	서	∨			∨
		∨			∨					∨
				∨	도	착	하	심	.	

다음 만화를 보며 속담의 뜻을 알아보고, 상황에 맞게 속담을 써 보세요.

뱁새가 황새를 따라가면 다리가 찢어진다

속담의 뜻을 알아봐요!

뱁새가 황새를 따라가면 다리가 찢어진다

이 속담은 "힘에 겨운 일을 억지로 하면 도리어 해만 입는다."라는

뜻이랍니다.

이제 이 속담을 넣어 상황에 맞게 써 볼까요?

너무 힘들어…….

" 뱁 새 가 황 새 를 따 라 가 면 다 리 가 찢 어 진 다 "라는 말처럼 운동부인 친구를 따라 운동을 무리해서 했다가 몸살이 났다.

● 아이가 실내 암벽 등반을 하러 왔어요. 아이가 꼭대기까지 갈 수 있도록 나와 있는 뜻에 알맞은 낱말이 적힌 발판을 색칠하며 암벽 등반을 해 보세요.

- 자신의 말과 행동에 대하여 잘못이나 부족함이 없는지 돌이켜 봄.
- 한결같이 부지런하고 끈기가 있는 태도로.
- 옷을 차려입은 모양.
- 조금도 어김없이 고대로 계속하는 모양.
- 닭이나 새 따위의 이마 위에 세로로 붙은 살 조각.

 창의 1주에 나왔던 **낱말과 그 뜻**을 익히며 암벽 등반을 해 봅니다.

▶정답 및 해설 7쪽

● 이야기 「수탉과 돼지」에 나오는 수탉이 늦잠을 자고 있는 사람들을 모두 깨워 주려고 해요.
수탉이 늦잠을 자는 사람들을 모두 도와줄 수 있도록 카드의 빈칸에 알맞은 숫자를 쓰세요.

1주

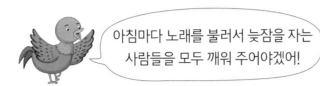

아침마다 노래를 불러서 늦잠을 자는
사람들을 모두 깨워 주어야겠어!

❶ ➡
오른쪽으로
1 칸 간다.

❷ ⬇
아래쪽으로
   칸 간다.

❸ ➡
오른쪽으로
2 칸 간다.

 코딩 「수탉과 돼지」의 내용을 떠올리며 **수탉이 사람들을 도와줄 수 있도록** 하려면 어떻게 가야 하는지 명령
카드를 완성해 봅니다.

● 캠핑을 간 서윤이가 다미에게 북두칠성 별자리에 대해 알려 주고 있어요. 북두칠성 별자리를 번호 순서대로 연결해 보고, 북두칠성이 다음 중 어떤 물건을 닮았는지 ○표를 하세요.

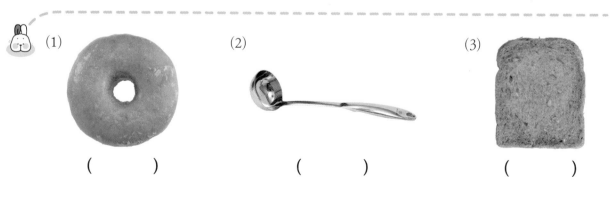

(1) (   )

(2) (   )

(3) (   )

융합
국어+과학   밤하늘을 보며 **북두칠성 별자리의 모양**에 대해 알아봅니다.

● 달래네 반에서 놀이동산으로 소풍을 갔어요. 달래가 소풍 준비물로 들고 간 물건을 살펴보고, 숨은 그림을 모두 찾아 ○표를 하세요.

숨은 그림: 도시락, 감자 과자, 물, 모자, 돗자리

 창의   달래네 반 소풍 준비물을 메모한 것을 떠올리며 **숨은 그림**을 모두 찾아 표시해 봅니다.

1 다음 빈칸에 들어갈 알맞은 말에 ○표를 하세요.

> 글에서 ☐☐☐☐ 이란 글의 뼈대가 되는 중요한 내용을 말해요.

(1) 표현 방법 ( )
(2) 주요 내용 ( )

[2~3] 다음 글을 읽고, 물음에 답하세요.

돋보기

우리는 작은 물건을 크게 보고 싶을 때 돋보기를 사용합니다. 돋보기에는 손잡이와 렌즈가 있습니다.

돋보기를 사용할 때 잡는 곳이 손잡이입니다. 엄지손가락과 나머지 손가락으로 감싸듯이 잡습니다. 돋보기 렌즈가 조금 무거우므로 손잡이를 단단히 잡도록 합니다.

물건을 크게 볼 수 있게 하는 것이 렌즈입니다. 렌즈는 투명한 색으로 가운데가 볼록해서 물건이 크게 보이도록 합니다.

2 무엇을 설명하고 있는지 알맞은 것에 ○표를 하세요.

(망원경 , 돋보기)

글쓰기

3 다음은 이 글의 주요 내용을 간추려 쓴 것이에요. 빈칸에 알맞은 말을 각각 쓰세요.

> 작은 물건을 크게 보고 싶을 때 돋보기를 사용한다.
> 돋보기를 사용할 때 잡는 곳이 ☐ ☐☐ 이고, 물건을 크게 볼 수 있게 하는 것이 ☐☐ 이다.

[4~5] 다음 글을 읽고, 물음에 답하세요.

일기를 쓰기 위해 하루 일을 떠올리면서 여러 가지 생각을 하게 되고, 그것을 글로 정리해 보는 것이므로 일기를 꾸준히 쓰다 보면 글쓰기 실력이 좋아진다.

매일 쓰는 일기가 귀찮을 수 있지만 일기를 꾸준히 쓰면 좋은 점이 많으므로 우리 모두 일기를 꼬박꼬박 잘 쓰도록 노력하자.

4 글쓴이가 하고 싶은 말이 무엇인지 알맞게 말한 친구의 이름을 쓰세요.

> 성민: 이를 잘 닦자.
> 유정: 일기를 꼬박꼬박 잘 쓰자.

( )

5 글쓴이가 4번 답처럼 말한 까닭을 골라 ○표를 하세요.

(1) 글쓰기 실력이 좋아지기 때문에
( )

(2) 친구들에게 자랑할 수 있기 때문에
( )

▶ 정답 및 해설 8쪽

6 다음 이야기를 읽고, 주요 내용을 알맞게 간추린 것에 ○표를 하세요.

| (1) | 돼지는 사람들을 도와주어서 하늘나라 임금님께 상으로 멋진 볏을 받았다. | (   ) |
| (2) | 돼지는 게으름을 피워서 하늘나라 임금님께 코가 납작해지는 벌을 받았다. | (   ) |

7 다음은 받아쓰기를 한 문장이에요. 밑줄 그은 부분을 바르게 고쳐 쓴 것을 골라 ○표를 하세요.

사람들이 <u>느짬</u>을 잤다.

(늦짬 , 늦잠)

8 편지글에서 주요 내용을 간추려 쓰는 방법에 맞게 빈칸에 알맞은 말을 보기 에서 골라 쓰세요.

보기

전하고 싶은 말

열심히 하는 점

편지를 쓴 사람이 편지를 받을 사람에게 □□□□□이 무엇인지 찾아서 정리한다.

9 메모를 하는 방법으로 알맞으면 ○표를, 알맞지 않으면 ×표를 하세요.

(1) 모든 내용을 빠짐없이 다 쓴다.

(   )

(2) 중요한 낱말을 중심으로 짧게 쓴다.

(   )

글쓰기

10 다음은 선생님의 말씀을 듣고 메모한 것이에요. 빈칸에 알맞은 말을 쓰세요.

도시락, 간식, 물, 모자, 돗자리를 준비하고, 편한 복장으로 오세요.

• 준비물: □□□, 간식, 물, 모자, □□□
• 편한 복장

사람을 소개하는
글을 써 보자!

1일 이름, 성별, 모습 소개하기
2일 성격, 좋아하는 것, 취미 소개하기
3일 잘하는 것, 장래 희망 소개하기
4일 '누구일까요' 놀이로 사람 소개하기
5일 친구를 소개하는 글 쓰기

1-1 사람을 소개하는 글에 대한 설명으로 알맞지 <u>않은</u> 것에 ×표를 하세요.

(1) 소개하는 사람의 특징이 잘 드러나도록 써야 한다. ( )

(2) 안부나 소식을 알리기 위하여 적어 보내는 글이다. ( )

(3) 자신이나 다른 사람에 대한 정보를 남에게 알려 주는 글이다. ( )

1-2 다음 사람을 소개하는 글을 읽고, 빈칸에 들어갈 알맞은 말을 보기 에서 골라 쓰세요.

내 친구 이름은 기찬입니다. 남자아이예요. 동그란 안경을 쓰고 있어요. 친구들에게 자기가 알고 있는 것들을 알려 주는 것을 좋아해요.

보기

마음   생각   특징

사람을 소개하는 글은 소개하는 사람의 ☐☐ 이 잘 드러나도록 써야 한다.

▶ 정답 및 해설 9쪽

2-1 다음을 보고, '누구일까요' 놀이에 대한 설명으로 알맞은 것에 ○표를 하세요.

순서	특징 소개
☝	성별은 여자입니다.
✌	호기심이 많은 성격입니다.
👌	이야기 속 공주입니다.
🖖	모습은 다리 부분이 물고기처럼 생겼습니다.
✋	목소리를 마녀에게 주고 두 다리를 얻습니다.

정답은
인어 공주입니다.

(1) 소개하는 사람의 특징이 잘 드러나도록 한 문장으로 소개한다. (   )

(2) 소개하는 사람의 특징이 잘 드러나도록 다섯 문장으로 소개한다. (   )

2-2 '누구일까요' 놀이에 대한 설명으로 알맞은 말을 보기 에서 골라 쓰세요.

'누구일까요' 놀이는 소개하는 사람의 특징이 잘

드러나도록 [   ]으로 소개하는 놀이이다.

보기

다섯 문장

한 문장

이름, 성별, 모습 소개하기

이름, 성별, 모습을 소개해라!

사람을 소개하는 글은 자신이나 다른 사람에 대한 정보를 남에게 알려 주는 글이에요.

사람을 소개하는 글을 쓸 때에는 소개하는 사람의 특징이 잘 드러나도록 써야 해요.

소개하는 사람의 이름은 무엇인지, 성별은 남자인지 여자인지,

모습은 어떠한지 소개하는 내용을 써요.

▶ 정답 및 해설 9쪽

◉ 사람을 소개하는 글을 쓰는 방법에 맞게 빈칸에 알맞은 말을 쓰고, 퍼즐판에서 찾아 ○표를 하세요.

사람을 소개하는 글은 자신이나 다른 사람에 대한 ❶ ▢▢ 를 남에게 알려 주는 글이에요.

사람을 소개하는 글을 쓸 때에는 소개하는 사람의 ❷ ▢▢ 이 잘 드러나도록 써야 해요.

2주

소개하는 사람의 이름, 성별, ❸ 모 습 을 소개해요.

이름, 성별, 모습 소개하기

◉ 다음 글을 읽고, 수영이 동생의 이름, 성별, 모습을 소개하는 글을 써 보세요.

　내 이름은 이수영이에요. 내 친구 희진이는 내게 동생이 있는 게 너무너무 부럽대요. 내 눈에는 동생이 너무너무 얄미운데요.

　희진이는 계속 동생의 이름이 무엇인지, 남자인지 여자인지, 모습은 어떤지 질문을 했어요. 쉬는 시간마다 와서는 내 동생이 궁금하다며 ▼야단이지 뭐예요.

　결국 동생을 소개하는 글을 써서 희진이에게 줬어요. 그랬더니 여동생이라서 좋겠다느니 머리가 기다란 게 부럽다느니 안경을 쓴 모습이 귀여울 것 같다느니 ▼호들갑을 떠는 거예요. 희진이 보고 나 대신 언니 하라고 할까 봐요.

🐭 **어휘 풀이**

▼**야단**|이끌 야 惹, 바를 단 端|　어떤 일 때문에 시끄럽게 자꾸 떠들거나 소란을 일으킴.
　⟨예⟩ 아이는 새 장난감을 선물 받더니 신나서 <u>야단</u>이다.

▼**호들갑**　조심성 없이 가볍고 야단스러운 말이나 행동.
　⟨예⟩ 친구는 살짝 베인 상처를 가지고 아프다고 <u>호들갑</u>을 떨었다.

▶ 정답 및 해설 9쪽

낱말 쓰기

1 단계 수영이 동생의 이름, 성별, 모습으로 알맞은 낱말을 보기 에서 골라 빈칸에 각각 쓰세요.

보기

여자 높다란 안경 기다란

내 동생의 이름은 이수진이다.

(1) ⬜⬜ 아이이다.

(2) ⬜⬜⬜ 머리이고,

⬜⬜ 을 썼다.

문장 쓰기

2 단계 **1**에서 쓴 수영이 동생의 특징을 두 문장으로 쓰세요.

❶　내 동생의 이름은 이수진이고, 　　　　　　　야.

❷　　　　　　　　　이고, 　　　　　썼어.

한 편 쓰기

3 단계 **2**에서 쓴 문장을 넣어 수영이 동생을 소개하는 글을 쓰세요.

　　내 동생의 이름은 이수진이고, ❶ _____

❷ _____

_____

1 잘 듣고, 따라 쓰세요.
따라 쓰기

❶ | 너 | 무 | 너 | 무 | V | 부 | 럽 | 대 | 요 | . |

❷ | 야 | 단 | 이 | 지 | V | 뭐 | 예 | 요 | . |

2 잘 듣고, 빈칸에 알맞은 낱말을 받아쓰세요.
낱말
받아쓰기

❶ 언니는 얼굴이 ☐☐☐☐ .

❷ 희진이는 눈에 ☐☐☐ 이 있다.

3 잘 듣고, 그림에 알맞은 문장을 받아쓰세요.
문장
받아쓰기

| | | | | V | | | | V | |

| | V | | | | | | | |

똑똑한 하루 글쓰기 마무리
내 생각 쓰기로 하루 마무리

● 다음 [친구가 쓴 글]을 보고, 다른 친구들의 이름, 성별, 모습을 소개해 보세요.

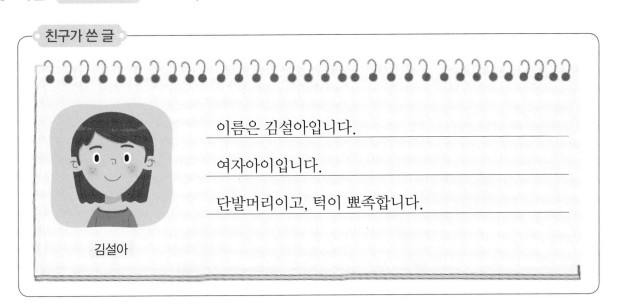

친구가 쓴 글

이름은 김설아입니다.

여자아이입니다.

단발머리이고, 턱이 뾰족합니다.

김설아

❶

최성우

❷

황안나

힌트 [친구가 쓴 글]처럼 사람의 이름, 성별, 모습을 문장으로 알맞게 써 보세요.

성격, 좋아하는 것, 취미 소개하기

성격, 좋아하는 것, 취미를 소개해라!

사람을 소개하는 글을 쓸 때에는

소개하는 사람의 성격은 어떠한지,

동물이나 음식 등 그 사람이 좋아하는 것은 무엇인지,

어떤 취미를 가졌는지 소개하는 내용을 써요.

▶ 정답 및 해설 10쪽

◉ 사다리 타기를 하여 도착한 곳의 말을 따라 쓰며, 소개하는 사람의 어떤 특징을 소개하였는 지 알아보아요.

내 짝꿍은 무척 꼼꼼해요.

내 짝꿍은 사과를 정말 좋아해요.

내 짝꿍은 사진 찍는 것을 즐겨 해요.

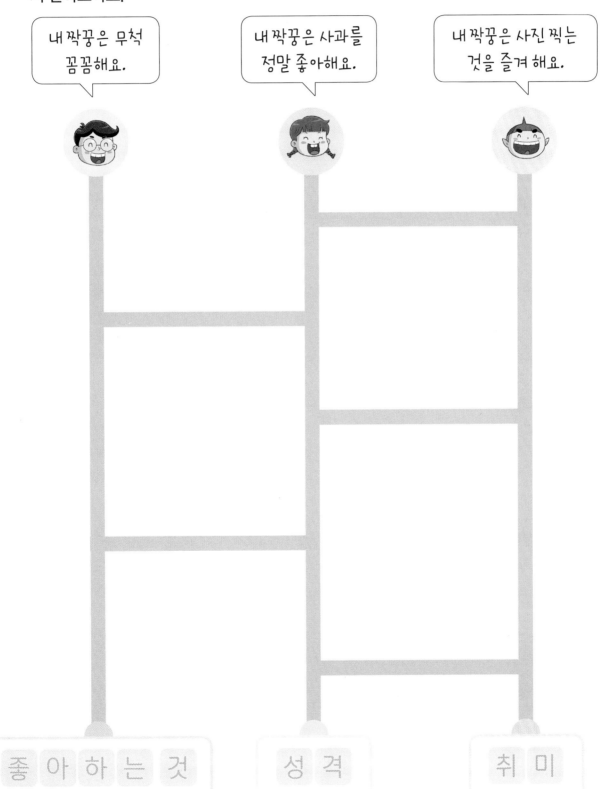

좋 아 하 는 것

성 격

취 미

2일 성격, 좋아하는 것, 취미 소개하기

● 다음 대화를 읽고, 성우의 성격, 좋아하는 것, 취미를 소개하는 글을 써 보세요.

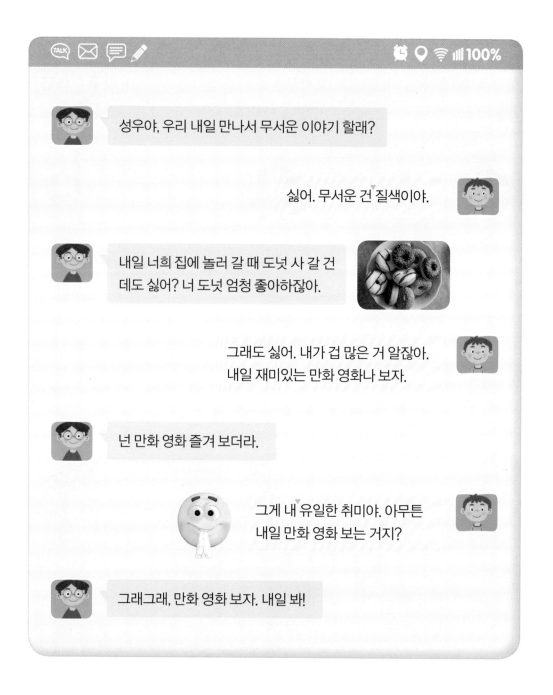

어휘 풀이

▼ **질색**|막을 질 窒, 막힐 색 塞|　몹시 싫어하거나 꺼림. ⑩ 더운 날은 질색이다.

▼ **유일**|오직 유 唯, 하나 일 一|한　오직 하나밖에 없는. ⑩ 그 반지가 사건의 유일한 단서이다.

▶정답 및 해설 10쪽

낱말 쓰기

 다음 그림을 보고, 성우의 성격, 좋아하는 것, 취미는 어떠한지 빈칸에 알맞은 낱말을 각각 쓰세요.

뭐가 나올 것 같아. 나는 **겁**이 너무 많아.

도넛은 너무 맛있어. 매일 먹고 싶어.

만화 영화는 정말 재미있어.

(1) ☐ㄱ☐ 이 많은 성격이 다.

(2) ☐ㄷ☐ ☐ㄴ☐ 을 좋아한 다.

(3) ☐ㅁ☐ ☐ㅎ☐ 영화를 보는 것이 취미이다.

문장 쓰기

 1에서 쓴 성우의 특징을 두 문장으로 쓰세요.

❶ 성우는   성격이고,   을   해요.

❷   것이 취미예요.

한 편 쓰기

 2에서 쓴 내용을 넣어 성우를 소개하는 글을 쓰세요.

	❶성	우	는	∨			∨			∨
	이	고	,					∨		
					❷		∨			∨
		∨				∨	취	미	예	요

1

따라 쓰기

잘 듣고, 따라 쓰세요.

❶ | 엄 | 청 | V | 좋 | 아 | 하 | 잖 | 아 | . |

❷ | 내 | V | 유 | 일 | 한 | V | 취 | 미 | 야 | . |

2

낱말
받아쓰기

잘 듣고, 빈칸에 알맞은 낱말을 받아쓰세요.

❶ 우리 반 선생님께서는 | | | | 성격이시다.

❷ 형은 | | | | 를 매우 좋아한다.

3

문장
받아쓰기

잘 듣고, 그림에 알맞은 문장을 받아쓰세요.

| | | | V | | | V | |

| | | V | | | | | |

◉ 다음 그림을 보고, 알맞은 말을 보기 에서 골라 벼루의 성격, 좋아하는 것, 취미를 소개해 보세요.

보기

장난기가 많은	수줍음이 많은
옥수수	바나나
축구하는 것	야구하는 것

힌트 그림의 내용에 맞게 성격, 좋아하는 것, 취미를 소개해 보아요.

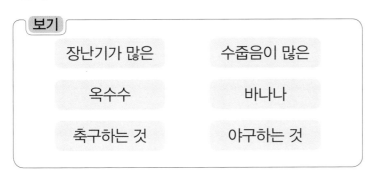

성격

| | | | | V | |
| V | 성 | 격 | 이 | 다 | . |

좋아하는 것

| | | | | 를 | V | 종 |
| 아 | 한 | 다 | . | | | |

취미

| | | | | | V | |
| 이 | V | 취 | 미 | 이 | 다 | . |

잘하는 것, 장래 희망 소개하기

밤톨
우아, 이 친구는 요리사가 되고 싶나 봐.

기찬
저기 우주 비행사가 된 모습도 있는걸?

판판
장래 희망이 많은가 봐.

오늘은 잘하는 것과 장래 희망을 소개하는 내용을 써 볼 거예요. 친구들이 잘하는 것은 무엇인가요? 미래에 어떤 사람이 되고 싶나요?

잘하는 것, 장래 희망을 소개해라!

사람을 소개하는 글을 쓸 때에는
소개하는 사람이 잘하는 것은 무엇인지 쓰고,
소개하는 사람이 미래에 어떤 사람이 되고 싶어 하는지
그 사람의 장래 희망을 소개하는 내용을 써요.

● 그림에 맞는 퍼즐 모양을 찾아 선으로 잇고, 소개하는 내용 중 무엇에 해당하는지 알아보아요.

나는 요리를 잘해요.

미래에 맛있는 음식을 만드는 요리사가 되고 싶어요.

장래 희망

잘하는 것

 소개하는 내용 중 잘하는 것, 장래 희망을 생각하며 문장을 따라 쓰세요.

나	는	V	요	리	를	V	잘	해
요	.	미	래	에	V	맛	있	는	V
음	식	을	V	만	드	는	V	요	리
사	가	V	되	고	V	싶	어	요	.

3일 잘하는 것, 장래 희망 소개하기

● 친구들의 말을 잘 읽고, 잘하는 것과 장래 희망을 소개하는 글을 써 보세요.

🐭 어휘 풀이

▼ **장래** |장수 장 將, 올 래 來| 다가올 앞날. ⑩ 장래에 멋진 집을 짓는 건축가가 되고 싶다.

▼ **조명** |비출 조 照, 밝을 명 明| 무대의 예술적인 효과 또는 촬영 효과를 높이기 위하여 빛을 비춤. 또는
그 빛. ⑩ 조명에 따라 무대의 느낌도 달라진다.

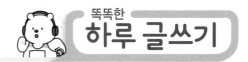
낱말 쓰기

1 단계

다음 그림을 보고, 성진이가 잘하는 것과 성진이의 장래 희망으로 알맞은 낱말을 빈칸에 각각 쓰세요.

내가 잘하는 것은 **수학**이야. 수학을 가르치는 수학 **선생님**이 되고 싶어.

(1) 나는 [ㅅ][ㅎ] 을 잘한다.

(2) 내 장래 희망은 수학을 가르치는 수학 [ㅅ][ㅅ][ㄴ] 이다.

2
주

문장 쓰기

2 단계

1에서 쓴 성진이의 특징을 두 문장으로 쓰세요.

❶ 나는   잘해.

❷ 내 장래 희망은 수학을
                      이야.

한 편 쓰기

3 단계

2에서 쓴 문장을 넣어 성진이를 소개하는 내용을 쓰세요.

	❶나	는	∨					∨		
❷내	∨	장	래	∨	희	망	은	∨		
		∨						∨		∨

1 잘 듣고, 따라 쓰세요.

따라 쓰기

❶ | 글 | 짓 | 기 | 를 | V | 잘 | 해 | . |

❷ | 가 | 수 | 가 | V | 되 | 고 | V | 싶 | 어 | . |

2 잘 듣고, 빈칸에 알맞은 낱말을 받아쓰세요.

낱말
받아쓰기

❶ 내 친구는 [　　　　　] 을 잘 친다.

❷ 우리 할머니는 [　　　　] 를 참 잘하신다.

3 잘 듣고, 그림에 알맞은 문장을 받아쓰세요.

문장
받아쓰기

| | | | | | V | | | V | |

| | | | | V | | | | V | | . |

▶ 정답 및 해설 11쪽

● 민희가 반 친구들 앞에서 자기소개를 해요. 다음 그림을 보고, 빈칸에 알맞은 말을 넣어 잘 하는 것과 장래 희망을 소개하는 내용을 완성해 보세요.

저는 잘하는 것과 장래 희망을 소개하려고 합니다. 저는 ❶ ☐☐☐ ☐☐☐☐. 특히 블록을 이용해서 자동차나 로봇을 잘 만듭 니다. 미래에 저는 ❷ ☐☐☐☐☐☐☐☐☐ ☐☐☐. 로봇을 만들어 사람들을 더 편하게 해 주고 싶기 때문입니다.

힌트 그림에서 밑줄 그은 부분을 잘 읽어 보고, 민희가 잘하는 것과 민희의 장래 희망을 알맞게 소개해 보아요.

'누구일까요' 놀이로 사람 소개하기

'누구일까요' 놀이로 사람을 소개해라!

'누구일까요' 놀이는 소개하는 사람의 특징을 다섯 문장으로 소개하는 놀이예요.

먼저 소개할 사람을 마음속으로 정하고 그 사람의 특징을 다섯 문장으로 만들어요.

그런 다음 만든 문장으로 소개할 사람의 특징이 잘 드러나도록 듣는 사람에게 소개해요.

그러면 듣는 사람은 누구를 소개하는지 알아맞혀요.

▶ 정답 및 해설 12쪽

◉ 사다리 타기를 하여 도착한 곳의 말을 따라 쓰며, '누구일까요' 놀이로 사람을 소개하는 방법을 알아보아요.

소개할 사람을 마음속으로 정하고 그 사람의 특징을

만든 문장으로 듣는 사람에게

듣는 사람은

다 섯 문장으로 만들어요.

누구를 소 개 하는지 알아맞혀요.

소개할 사람의 특 징 이 잘 드러나도록 소개해요.

4일 '누구일까요' 놀이로 사람 소개하기

● 다음 이야기를 읽고, '누구일까요' 놀이로 이야기 속 등장인물을 소개해 보세요.

금도끼 은도끼

어느 날 착한 나무꾼은 나무를 베다가 도끼를 연못에 빠뜨렸어요.

그때, 연못에서 '펑' 하는 소리와 함께 산신령이 나타났어요.

산신령은 금도끼와 은도끼를 보여 주며 나무꾼의 것인지 물었어요.

나무꾼은 고개를 설레설레 젓고 말했어요. "제 도끼는 쇠도끼입니다."

산신령은 정직한 나무꾼에게 쇠도끼와 금도끼, 은도끼를 모두 주었고, 나무꾼은 부자가 되었답니다.

어휘 풀이

▼ **산신령**|뫼 산 山, 귀신 신 神, 신령 령 靈| 산을 지키고 다스리는 신.

　　예 산을 함부로 파괴하면 산신령의 화를 입을지도 모른다.

▼ **설레설레** 큰 동작으로 몸의 한 부분을 거볍게 잇따라 가로흔드는 모양.

　　예 그는 아니라는 뜻으로 고개를 설레설레 저었다.

낱말 쓰기

 1 다음 그림을 보고, 산신령의 특징은 무엇인지 빈칸에 알맞은 낱말을 보기 에서 각각
단계 골라 쓰세요.

보기

| 수염 | 입술 | 좁고 | 넓고 |

정직하게 대답한 너에게 상을 주마.

(1) ☐☐ 을 길게 늘어뜨린 모습이다.

(2) 마음이 ☐☐ 지혜로운 성격이다.

문장 쓰기

 2 1에서 쓴 문장을 '누구일까요' 놀이에 넣어 소개할 사람의 특징을 쓰세요.
단계

순서	특징 소개
☝	성별은 남자입니다.
✌	❶ _____ 모습입니다.
🖐	❷ _____ 성격입니다.
🖐	연못에서 나타났습니다.
🖐	나무꾼에게 도끼를 찾아 주었습니다.
	「금도끼 은도끼」의 산신령입니다.　　예, 맞습니다.

1 잘 듣고, 따라 쓰세요.

따라 쓰기

❶
| 연 | 못 | 에 | V | 빠 | 뜨 | 렸 | 어 | 요 | . |

❷
| 부 | 자 | 가 | V | 되 | 었 | 답 | 니 | 다 | . |

2 잘 듣고, 빈칸에 알맞은 낱말을 받아쓰세요.

낱말
받아쓰기

❶ 흥부는 밥을 못 먹어 삐쩍 ☐☐☐ .

❷ 팥죽 할머니는 머리가 허옇게 ☐☐☐ .

3 잘 듣고, 그림에 알맞은 문장을 받아쓰세요.

문장
받아쓰기

| | | | V | | | | | V |

| | | V | | | | | |

● 다음 대화를 읽고, '누구일까요' 놀이에서 소개하고 있는 「금도끼 은도끼」 속 등장인물의 특징을 빈칸에 각각 쓰세요.

순서	특징 소개
	성별은 남자입니다.
❶	_____ 모습입니다.
❷	_____ 성격입니다.
❸	_____ 을 하는 사람입니다.
	산신령에게 금도끼, 은도끼, 쇠도끼를 모두 받았습니다.

「금도끼 은도끼」의 나무꾼입니다.	예, 맞습니다.

힌트 대화의 밑줄 그은 부분을 잘 읽고, 소개하는 인물의 특징으로 알맞은 것을 문장으로 써 보아요.

5일 친구를 소개하는 글 쓰기

달래
서로 정말 친해 보인다. 보기 좋아.

기찬
우리도 저만큼 친하잖아.

밤톨
맞아. 바밤별 친구들에게 너희를 좋은 친구들이라고 소개할 거야.

벌써 마지막 시간이에요. 오늘은 친구를 소개하는 글을 써 보아요. 소개할 친구를 정하고 어떤 특징을 소개하면 좋을지 생각해 보아요.

친구의 특징을 떠올려 친구를 소개하는 글을 써라!

친구를 소개하는 글을 쓸 때에는 먼저 친구의 특징을 떠올려 보아요.

친구의 이름, 성별, 모습, 성격, 좋아하는 것, 취미, 잘하는 것, 장래 희망과 같은

특징 중 글을 읽을 사람이 친구에 대해 궁금해할 특징들을 골라야 해요.

그다음 상대방이 잘 이해할 수 있도록 친구에 대해 소개하는 글을 자세히 써요.

▶정답 및 해설 12쪽

● 친구를 소개하는 글을 쓰는 방법에 맞게 빈칸에 알맞은 말을 쓰고, 퍼즐판에서 찾아 ○표를 하세요.

친구를 소개하는 글을 쓸 때에는 먼저 친구의 ❶ ☐ ☐ 을 떠올려 보아요.

이름, 성별, 모습, ❷ ☐ ☐ , 좋아하는 것, 취미, 잘하는 것, 장래 희망과 같은 특징 중 소개할 내용을 골라요.

특	묵	알	벽
징	각	성	격
습	적	평	포
장	직	궁	금

글을 읽을 사람이 친구에 대해 ❸ ☐ ☐ 해할 특징들을 골라야 해요.

5일 친구를 소개하는 글 쓰기

● 다음 친구에 대해 떠올린 내용을 보고, 친구를 소개하는 글을 써 보세요.

내 친구 정주영

털털한 성격이라 신발이나 옷이 금방 해어진다고 한다.

이름은 정주영이고, 나와 같은 여자 아이이다.

햇볕에 탄 듯 피부가 까맣고, 코 위의 점이 눈에 띈다.

달리기를 잘한다. 그래서 장래 희망도 달리기 선수이다.

고양이를 키우고 있다. 고양이를 보면 좋아서 히죽히죽 웃는다.

🐹 **어휘 풀이**

▼ **털털한** 사람의 성격이나 하는 짓 따위가 까다롭지 아니하고 소탈한.

　　예 그는 털털한 성격이라 자주 잔소리를 듣는다.

▼ **해어진다고** 닳아서 떨어진다고 예 그는 일할 때 옷이 계속 쓸려서 그런지 옷이 잘 해어진다고 한다.

▼ **히죽히죽** 만족스러운 듯이 자꾸 슬쩍 웃는 모양.

　　예 어제 일만 생각하면 나도 모르게 히죽히죽 웃음이 난다.

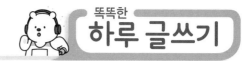

▶정답 및 해설 13쪽

낱말 쓰기

다음 그림을 보고, 친구의 이름, 성별, 모습으로 알맞은 낱말을 빈칸에 각각 쓰세요.

(1) 내 친구 이름은 정주영이고, ㅇ ㅈ 아이예요.

(2) 피부가 ㄲ ㅁ ㄱ , 코 위에 ㅈ 이 있어요.

문장 쓰기

주영이의 성격과 좋아하는 것이 잘 드러나도록 보기 에서 알맞은 말을 골라 쓰세요.

보기

| 성격이 털털 | 고양이를 좋아해요 | 얼굴이 넓적 |

주영이는   하고,

.

한 편 쓰기

주영이가 잘하는 것과 주영이의 장래 희망을 소개하는 내용을 쓰세요.

• 잘하는 것: 달리기   • 장래 희망: 달리기 선수

주영이는 _____

_____

_____

받아쓰기 듣기

▶ 정답 및 해설 13쪽

1 잘 듣고, 따라 쓰세요.

따라 쓰기

❶ 햇 볕 에 ∨ 탄 ∨ 듯

❷ 히 죽 히 죽 ∨ 웃 는 다 .

2 잘 듣고, 빈칸에 알맞은 낱말을 받아쓰세요.

낱말
받아쓰기

❶ 경진이는 [ ][ ][ ] 가 있다.

❷ 진서는 [ ][ ][ ] 성격이다.

3 잘 듣고, 그림에 알맞은 문장을 받아쓰세요.

문장
받아쓰기

	선	주	는	∨				∨
		∨			∨			

◉ 반 친구들에게 가장 친한 친구를 소개하려고 해요. 친구를 소개하는 글을 써 보세요.

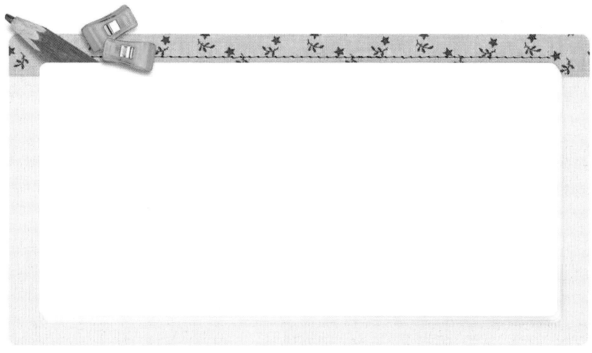

힌트 듣는 사람이 어떤 점을 궁금해할지 생각해 보며 친구의 특징이
잘 드러나게 소개하는 글을 써 보아요. 여러 사람들 앞에서 이야기할
때에는 높임말을 써야 해요.

생활 어휘 　다음 만화를 보며 속담의 뜻을 알아보고, 상황에 맞게 속담을 써 보세요.

사공이 많으면 배가 산으로 간다

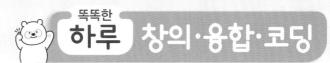

속담의 뜻을 알아봐요!

사공이 많으면 배가 산으로 간다

이 속담은 "여러 사람이 자기주장만 내세우면 일이 제대로 되기 어렵다."라는 뜻이랍니다.

이제 이 속담을 넣어 상황에 맞게 써 볼까요?

"사공이많으면배가산으로간다"고 하더니, 회의를 오늘 안에 끝낼 수 있을지 모르겠다.

◉ 나무꾼이 산신령이 준 도끼들을 가지고 기뻐서 집으로 돌아가려 해요. 뜻에 알맞은 낱말을 찾아 따라 쓰며 나무꾼의 집까지 가는 길을 선으로 이어 보세요.

 창의 2주에 나왔던 **낱말과 그 뜻**을 익히며 나무꾼의 집으로 가는 길을 찾아 봅니다.

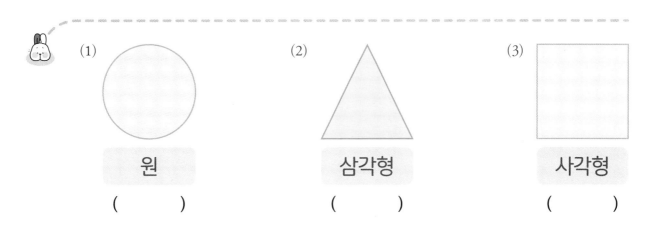
◉ 도형을 이용해 동생의 얼굴을 그려 보았어요. 어떤 도형이 사용되었는지 사용된 도형에 모두 ○표를 하세요.

내 동생 범수는 눈이 동그랗고, 얼굴이 네모나요. 앞머리를 일자로 잘랐어요. 범수의 얼굴을 도형을 사용해서 그려 보았는데, 범수가 집에 오면 보여 줘야겠어요.

(1)

원

(   )

(2)

삼각형

(   )

(3)

사각형

(   )

융합
국어+수학   사람의 모습을 소개하는 **방법**을 생각하며 **도형**을 찾아봅니다.

● 다음 '누구일까요' 놀이를 보고, 소개하고 있는 동화 속 인물에게 도착할 수 있도록 빈칸에
알맞은 화살표를 그려 넣으세요.

❶ 이 인물의 성별은 여자예요.

❷ 한 나라의 공주예요.

❸ 눈처럼 하얀 피부를 가졌어요.

❹ 일곱 난쟁이의 도움을 받아요.

❺ 독 사과를 먹고 쓰러져요.

정답은
백설 공주네!

❶	❷	❸	❹	❺	❻

 코딩 '누구일까요' 놀이로 사람을 소개하는 방법을 생각하며 알맞은 방향의 화살표를 그려 봅니다.

◉ 다음 친구를 소개하는 글을 읽고, 글에서 소개하고 있는 친구를 찾아 ○표를 하세요.

> 　내 친구의 이름은 홍은찬이에요. 남자아이이고 빨간색 곱슬머리에 안경을 썼어요. 은찬이는 강아지를 정말 좋아해서 집에 강아지를 두 마리나 키워요. 은찬이의 취미는 책을 읽는 것이에요. 쉬는 시간이면 항상 책을 읽고 있어요. 은찬이는 나중에 커서 아픈 동물들을 고쳐 주는 수의사가 되고 싶대요.

2주

🐾 창의   **친구를 소개하는 방법**을 생각하며, 글에서 소개하고 있는 친구를 찾아봅니다.

1 친구가 이야기하는 것이 어떤 글에 대한 설명인지 알맞은 것에 ○표를 하세요.

자신이나 다른 사람에 대한 정보를 남에게 알려 주는 글이야. 소개하는 사람의 특징이 잘 드러나도록 써야 해.

(1) 편지 ( )
(2) 부탁하는 글 ( )
(3) 사람을 소개하는 글 ( )

2 특징을 소개하는 문장이 완성되도록 알맞은 것끼리 선으로 이으세요.

(1) 내 동생의 이름은 · · ① 아이 이다.

(2) 여자 · · ② 이수진 이다.

글쓰기

3 다음 그림 속 사람의 모습으로 알맞은 것을 보기 에서 각각 골라 빈칸에 쓰세요.

보기

뽀족

곱슬

단발

☐☐ 머리이고,

턱이 ☐☐ 하다.

4 다음 그림 속 벼루의 성격을 알맞게 소개한 친구의 이름을 쓰세요.

진경: 벼루는 수줍음이 많은 성격이야.
설아: 벼루는 장난기가 많은 성격이야.

( )

글쓰기

5 다음 그림을 보고, 보기 에서 알맞은 말을 골라 동생의 취미를 소개하는 글을 완성하고 따라 쓰세요.

보기

리코더   피아노   꽹과리

동	생	은	V		
		V	연	주	가	V
취	미	이	다	.	

6 다음은 받아쓰기를 한 문장이에요. 알맞게 쓴 낱말에 ○표를 하세요.

> 형은 (팥빙수 , 팟빙수)를 매우 좋아한다.

글쓰기

7 달래의 말을 읽고, 달래가 잘하는 것이 무엇인지 찾아 빈칸에 쓰세요.

 나는 노래를 잘해. 나는 미래에 화려한 조명 아래에서 노래를 부르는 가수가 되고 싶어.

> 달래는 [ ][ ]를 잘한다.

8 다음은 자신의 어떤 특징을 소개한 것인지 알맞은 것에 ○표를 하세요.

> 미래에 저는 로봇 공학자가 되고 싶습니다.

장래 희망   잘하는 것   좋아하는 것

9 다음 '누구일까요' 놀이에서 소개하고 있는 「금도끼 은도끼」 이야기 속 인물로 알맞은 것에 ○표를 하세요.

순서	특징 소개
☝	성별은 남자입니다.
✌	수염을 길게 늘어뜨린 모습입니다.
🤟	마음이 넓고 지혜로운 성격입니다.
🖐	연못에서 나타났습니다.
🖐	나무꾼에게 도끼를 찾아 주었습니다.

> [ ]을 소개하고 있습니다.

(1) 나무꾼 (   ) (2) 산신령 (   )

글쓰기

10 다음 그림을 보고, 보기 에서 알맞은 낱말을 각각 골라 친구를 소개하는 글을 완성하세요.

> **보기**
>
> 까맣고   하얗고   고양이

> 　내 친구 이름은 정주영이고, 여자아이예요. 피부가 [ ][ ][ ], 코 위에 점이 있어요. 주영이는 성격이 털털하고, [ ][ ][ ]를 좋아해요. 주영이는 달리기를 잘해요. 그래서 장래 희망도 달리기 선수래요.

3_주

3주에는 무엇을 공부할까? ❶

칭찬하는 글을
써 보자!

1-1 다음은 무엇에 대한 설명인지 알맞은 말에 ○표를 하세요.

> 어떤 사람의 좋은 점이나 그 사람이
> 잘하는 것을 찾아 여러 사람에게 알리거나
> 그 사람에게 전달하기 위하여 쓰는 글이야.

(사과하는 글 , 칭찬하는 글)

1-2 다음 ㉠ 에 들어갈 말로 알맞은 것에 ○표를 하세요.

> 칭찬하는 글은 어떤 사람의 ㉠ 이나 그 사람이 잘하는 것을 찾아 여러 사람에게 알리거나 그 사람에게 전달하기 위하여 쓰는 글이에요.

나쁜 점	좋은 점
싫은 점	고쳐야 할 점

▶정답 및 해설 16쪽

2-1 칭찬 상장에 들어갈 내용을 살펴보고 빈칸에 알맞은 말을 보기 에서 골라 쓰세요.

> **보기**
>
> 쪽지 까닭 상장

- 상을 받는 사람을 써요.
- 칭찬하고 싶은 점을 써요.
- 칭찬하고 싶은 [   ] 을/를 써요.
- 상을 주는 사람을 밝혀요.

2-2 다음 밑줄 그은 부분은 칭찬 상장에 들어갈 내용 중 무엇에 해당하는지 알맞은 것을 골라 ○표를 하세요.

> 선생님
>
> 위 선생님께서는 우리에게 항상 친절하게 공부를 가르쳐 주셨습니다.
>
> 선생님 덕분에 우리가 학교에서 열심히 공부하며 잘 지낼 수 있기에 이 칭찬 상장으로 고마운 마음을 전합니다.
>
> 김지수 드림

칭찬하고 싶은 점

칭찬하고 싶은 까닭

잘하는 점 쓰기

친구가 잘하는 점을 찾아 칭찬하는 글을 써 보자!

칭찬하는 글은 어떤 사람의 좋은 점이나 그 사람이 잘하는 것을 찾아

여러 사람에게 알리거나 그 사람에게 전달하기 위하여 쓰는 글이에요.

친구가 잘하는 점을 찾아 칭찬하는 글을 쓸 때에는

먼저, 친구가 잘하는 점을 쓰고 잘한 일에 대한 자신의 생각이나 느낌을 써요.

▶ 정답 및 해설 16쪽

● 친구가 잘하는 점을 찾아 칭찬하는 글을 쓰는 방법에 맞게 빈칸에 알맞은 말을 쓰고, 퍼즐판
에서 찾아 ○표를 하세요.

친구가 ❶ 잘 하 는 점을 써요.

친구가 잘한 일에 대한 자신의 생각이나 ❷ ☐ ☐ 을 써요.

느	낌	과	잘
주	장	자	하
칭	찬	이	는
솔	직	사	자

❸ ☐ ☐ 하는 글은 어떤 사람의 좋은
점이나 그 사람이 잘하는 것을 찾아 여러 사람에게
알리거나 그 사람에게 전달하기 위하여 써요.

잘하는 점 쓰기

● 다음 그림을 보고, 친구가 잘하는 점을 찾아 칭찬하는 글을 써 보세요.

🐻 **어휘 풀이**

▼**골** 축구나 농구, 핸드볼, 하키 따위에서 문이나 바구니에 공을 넣어 득점하는 일. 또는 그 득점.

예 한 골 차로 우리 반이 이겼다.

▼**덕분**|덕 덕 德, 나눌 분 分| 베풀어 준 은혜나 도움.

예 언니 덕분에 어려운 수학 문제를 풀 수 있었어.

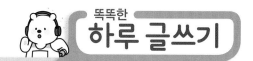
낱말 쓰기

다음 그림을 보고, 빈칸에 알맞은 낱말을 각각 쓰세요.

희수는 **축구**를 잘해. 나중에 멋진 축구 선수가 될 거야.

(1) 희수야, 너는 [大][ㄱ]를 정말 잘하는구나.

(2) 커서 분명 멋진 축구 [ㅅ][ㅅ]가 될 거야.

문장 쓰기

1에서 쓴 말을 두 문장으로 정리하여 쓰세요.

❶ 　희수야, 너는 [　][　][　][　] 잘하는구나.

❷ 　커서 분명 　　　　　　　　　　　　　　　.

한 편 쓰기

2에서 쓴 문장을 넣어 친구가 잘하는 점에 대해 칭찬하는 글을 쓰세요.

❶희	수	야	,		∨	
	∨		∨			
❷		∨		∨		∨
	∨			∨	∨	

1 잘 듣고, 따라 쓰세요.

따라 쓰기

❶ | 골 | 을 | V | 넣 | 었 | 어 | ! | | |

❷ | 우 | 리 | V | 반 | 이 | V | 이 | 겼 | 어 | ! |

2 잘 듣고, 빈칸에 알맞은 낱말을 받아쓰세요.

낱말 받아쓰기

❶ 하니는 | | | | 를 잘한다.

❷ 지수는 | | | | 를 잘한다.

3 잘 듣고, 그림에 알맞은 문장을 받아쓰세요.

문장 받아쓰기

| 수 | 혁 | 이 | 는 | V | | | | V |
| | | | | | | | | |

▶ 정답 및 해설 16쪽

◉ 다음은 서윤이가 잘하는 점을 찾아 칭찬하는 글을 쓴 것이에요. 빈칸에 알맞은 말을 각각 넣어 칭찬하는 글을 완성하세요.

3
주

내	V	친	구	V	서	윤	이	는	V
		V	잘	합	니	다	.	웃
어	른	을	V	만	나	면	V	항	상	V
	"					.	"	V	하	고	V
바	르	게	V	인	사	를	V	합	니
다	.	나	도	V			V
	V				V	본	받	고	V
싶	습	니	다	.		

 힌트
그림에서 친구가 잘하는 점과 잘한 일에
대한 생각이나 느낌을 찾아 빈칸에 써 봐요.

열심히 하거나 노력하는 점 쓰기

달래
뭐 하고 있지?

밤톨
콩으로 장난치고 있는 것 같은데.

글봇
콩으로 젓가락질 연습을 하고 있잖아!

오늘은 친구가 열심히 하거나 노력하는 점을 찾아 칭찬하는 글을 써 봐요~!

I   ☺ 입력

친구가 (열심히 하거나 노력하는 점)을 찾아 칭찬하는 글을 써 보자!

먼저 친구가 열심히 하거나 노력하는 점을 찾아 써요.

그리고 친구가 열심히 하거나 노력하는 점에 대한 자신의 생각이나 느낌을 써요.

이때, 친구가 잘하지는 못해도 열심히 하거나 노력하는 점을 칭찬해도 돼요.

● 사다리 타기를 하여 도착한 곳의 낱말을 따라 쓰며, 친구가 열심히 하거나 노력하는 점을 찾아 칭찬하는 글을 쓰는 방법을 알아보아요.

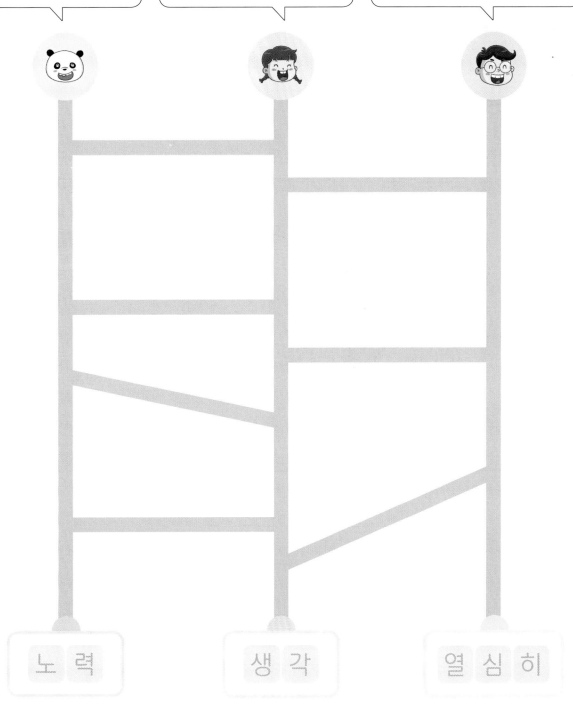

친구가 ○○○ 하거나 노력하는 점을 찾아 써요.

친구가 열심히 하거나 노력하는 점에 대한 자신의 ○○이나 느낌을 써요.

친구가 잘하지는 못해도 열심히 하거나 ○○하는 점을 칭찬해도 돼요.

노 력

생 각

열 심 히

2일 열심히 하거나 노력하는 점 쓰기

◉ 다음 만화를 읽고, 친구가 열심히 하거나 노력하는 점을 찾아 칭찬하는 글을 쓰세요.

🐹 **어휘 풀이**

▼**주목**|물댈 주 注, 눈 목 目| 관심을 가지고 주의 깊게 살핌. 또는 그 시선.
　　예 달리기에서 일 등을 한 수혁이는 친구들의 주목을 받았다.

▼**자신**|스스로 자 自, 믿을 신 信| 어떤 일을 해낼 수 있다거나 어떤 일이 꼭 그렇게 되리라는 데 대하여
　　스스로 굳게 믿음. 또는 그런 믿음. 예 자신을 가지고 수영 대회에 참가했다.

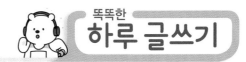
▶정답 및 해설 17쪽

낱말 쓰기

1 단계 다음 그림을 보고, 칭찬하는 글에 들어갈 말을 각각 쓰세요.

> 매일 **줄넘기** 연습을 열심히 하더니 잘한다. 정말 **멋있어.**

(1) 세준아, 매일 ㅈ ㄴ ㄱ 연습을 열심히 하더니 잘하게 되었구나.

(2) 네가 정말 ㅁ ㅇ ㅇ 보여.

문장 쓰기

2 단계 **1**에서 쓴 말을 두 문장으로 정리하여 쓰세요.

❶ 세준아, 매일   하더니
잘하게 되었구나.

❷ 네가 정말   .

한 편 쓰기

3 단계 **2**에서 쓴 문장을 넣어 친구가 열심히 하거나 노력하는 점에 대해 칭찬하는 글을 쓰세요.

1 잘 듣고, 따라 쓰세요.

따라 쓰기

❶ 체 육 ∨ 시 간 에

❷ 꾸 준 히 ∨ 연 습 하 면

2 잘 듣고, 빈칸에 알맞은 낱말을 받아쓰세요.

낱말
받아쓰기

❶ 매일 숙제를 □□ 하게 해 오는구나.

❷ 노래를 열심히 연습해서 □□ 이 많이 좋아졌구나.

3 잘 듣고, 그림에 알맞은 문장을 받아쓰세요.

문장
받아쓰기

		∨			∨		∨
		∨					

● 다음 그림을 보고, 친구가 쓴 글 처럼 칭찬하는 글을 쓰려고 해요. 빈칸에 알맞은 말을 보기 에서 골라 칭찬하는 글을 완성해 보세요.

친구가 쓴 글

> 매일 꾸준히 연습하더니 이제는 그림을 정말 잘 그린다.

> 효영아, 그림 그리는 연습을 열심히 하더니 실력이 많이 좋아졌구나. 나도 꾸준히 그림을 그려서 실력을 쌓고 싶어.

보기

네가 대단해 보여.

나도 젓가락질을 잘하고 싶어.

나도 오늘부터 젓가락질 연습을 열심히 해야겠어.

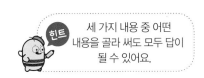

힌트 세 가지 내용 중 어떤 내용을 골라 써도 모두 답이 될 수 있어요.

> 열심히 연습하더니 젓가락질을 정말 잘한다.

> 수혁아, 젓가락질 연습을 열심히 하더니 젓가락질을 잘하게 되었구나.
>
> _____
> _____

수혁

고마웠던 점 쓰기

친구에게 고마웠던 점을 찾아 칭찬하는 글을 써 보자!

먼저, 친구가 자신을 도와주었던 일 등 고마웠던 점을 떠올려 써요.

그리고 고마운 마음을 표현하는 말을 써요.

자신의 생각이나 느낌을 쓸 때에는 '덕분에'와 같은 말을 넣어서 쓰면 좋아요.

● 그림에 맞는 퍼즐 모양을 찾아 선으로 잇고, 친구에게 고마웠던 점으로 칭찬하는 글을 쓰는 방법을 알아보아요.

자신의
생각이나
느낌

고마웠던
점

**3
주**

 친구에게 고마웠던 점을 생각하며 문장을 따라 쓰세요.

교	실	V	청	소	하	는	V	것
을	V	도	와	주	어	서	V	고	마
워	.							

○ 다음 그림과 글을 잘 보고, 지수에게 고마웠던 점을 찾아 칭찬하는 글을 써 보세요.

서윤아, 어려운 수학 문제를 `푸는 방법을 알려 주어서 고마워.
혼자 풀기 어려웠는데 네 덕분에 잘 풀 수 있었어.

어휘 풀이

▼**푸는** 모르거나 복잡한 문제 따위를 알아내거나 해결하는.
　　예 아빠께 컴퓨터의 복잡한 암호를 푸는 방법을 여쭈어보았다.
▼**나누어** 하나를 둘 이상으로 갈라.
　　예 동생과 나는 아이스크림을 사이좋게 나누어 먹었다.

▶정답 및 해설 18쪽

낱말 쓰기

1
단계

다음 그림을 보고, 빈칸에 알맞은 말을 보기 에서 골라 각각 쓰세요.

보기

찰흙　　　반찬　　　준비물　　　도시락

지수

(1) 미술 시간에 □□□ 을 가
져오지 않았어.

(2) 나에게 □□ 을 나누어 주어
서 정말 고마워.

문장 쓰기

2
단계

1에서 쓴 내용을 한 문장으로 정리하여 쓰세요.

미술 시간에 　　　　　　　　　　　　　　　　　　않았는데 나에게

　　　　　　　　　　　　　　　　　정말 고마워.

한 편 쓰기

3
단계

2에서 쓴 문장을 넣어 칭찬하는 글을 완성하여 쓰세요.

지수야, _____

_____

_____

네 덕분에 선생님께 혼나지 않고 미술 수업을 잘 받을 수 있어서 너무 다행이었어.

3
주

1 잘 듣고, 따라 쓰세요.

따라 쓰기

❶ 미 술 ∨ 준 비 물

❷ 어 려 운 ∨ 수 학 ∨ 문 제

2 잘 듣고, 빈칸에 알맞은 낱말을 받아쓰세요.

낱말
받아쓰기

❶ ☐☐ 짐을 들어 주어서 고마워.

❷ ☐☐ 을 내려갈 때 도와주어서 고마워.

3 잘 듣고, 그림에 알맞은 문장을 받아쓰세요.

문장
받아쓰기

☐☐☐☐∨☐☐∨☐☐∨

☐☐☐☐☐☐☐☐☐

▶ 정답 및 해설 18쪽

◉ 다음 대화를 읽고, 기찬이가 달래에게 쓴 칭찬하는 글을 완성해 보세요.

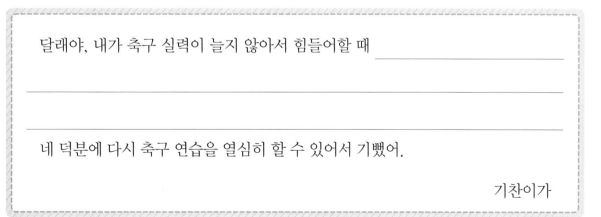

달래야, 내가 축구 실력이 늘지 않아서 힘들어할 때 _____

_____

_____

네 덕분에 다시 축구 연습을 열심히 할 수 있어서 기뻤어.

기찬이가

힌트

기찬이의 말을 보고 기찬이가 달래에게
고마웠던 점이 무엇인지 쓰고, 고마움을 표시해 봐요.

대답하는 말 쓰기

기찬
칭찬하는 말을 들으면 기분이 좋을 것 같아.

달래
그런데 칭찬하는 말을 들었을 때 어떻게 대답해야 해?

밤톨
겸손하게 고마움을 표시하는 게 좋겠지.

한 친구가 다른 친구를 칭찬하고 있네요.
오늘은 누군가에게 칭찬하는 말을 들었을 때
대답하는 말 쓰기를 공부해 봐요!

칭찬하는 말을 들었을 때 대답하는 말을 써 보자!

칭찬하는 말을 듣고 대답하는 말을 쓸 때에는

먼저 고마움을 표시해요. 그리고 상대를 같이 칭찬해 줘요.

이때 겸손한 태도로 대답하는 말을 쓰는 것도 잊지 말아요.

🔵 사다리 타기를 하여 도착한 곳의 낱말을 따라 쓰며, 친구에게 칭찬하는 말을 들었을 때 대답하는 말을 쓰는 방법을 알아보아요.

◉ 다음은 칭찬하는 말을 듣고 대답하는 말을 쓴 것이에요. 그림을 보고, ㉠ 안에 들어갈 대답하는 말을 써 보세요.

너는 정말 발표를 잘한다. 네가 부러워.

칭찬해 줘서 고마워! 하지만 너도 발표를 잘하던데? 너의 씩씩하고 큰 목소리가 부러워.

바이올린 실력이 많이 좋아졌구나. 꾸준히 노력하는 네 모습이 보기 좋아.

㉠

🐻 **어휘 풀이**

▼ **부러워**　남의 좋은 일이나 물건을 보고 자기도 그런 일을 이루거나 그런 물건을 가졌으면 하고 바라는 마음이 있어. ㉎ 부모님 사랑을 독차지하는 동생이 <u>부러워</u>.

▼ **실력** |열매 실 實, 힘 력 力|　실제로 갖추고 있는 힘이나 능력.
　㉎ 수학 <u>실력</u>이 많이 늘었다.

낱말 쓰기

1 다음 그림을 보고, ㉠ 안에 들어갈 말은 무엇일지 빈칸에 알맞은 낱말을 쓰세요.
단계

(1) 그렇게 말해 주어서 정말 | ㄱ | ㅃ |.

(2) 연습할 때 힘들었는데 네 말을 들으니 | ㅎ | 이 나.

문장 쓰기

2 **1**에서 쓴 대답하는 말을 두 문장으로 정리하여 쓰세요.
단계

❶　그렇게 　　　　　　　　　　정말 기뻐.

❷　연습할 때 힘들었는데

　　　　 .

한 편 쓰기

3 **2**에서 쓴 문장을 넣어 칭찬하는 말에 대한 대답하는 말을 써 보세요.
단계

	❶그	렇	게	∨			∨		
	∨			∨				❷연	습
할	∨	때	∨						∨
	∨			∨			∨		
	∨								

3
주

받아쓰기 듣기

▶ 정답 및 해설 19쪽

1 잘 듣고, 따라 쓰세요.

따라 쓰기

❶ 발 표 를 V 잘 하 던 데 ?

❷ 많 이 V 좋 아 졌 구 나 .

2 잘 듣고, 빈칸에 알맞은 낱말을 받아쓰세요.

낱말
받아쓰기

❶ ☐☐ 하는 말을 들으니 힘이 나.

❷ 너는 ☐☐☐ 를 잘하잖아.

3 잘 듣고, 그림에 알맞은 문장을 받아쓰세요.

문장
받아쓰기

너는 정말 발표를 잘한다.

아니야, …….

아 니 야 , ☐ ☐ V ☐ V

☐ ☐ ☐ ☐ ☐ ☐ ☐

▶ 정답 및 해설 19쪽

◉ 다음과 같은 칭찬하는 말을 들었을 때, 달래는 어떻게 대답하는 말을 쓰면 좋을지 생각해서 써 보세요.

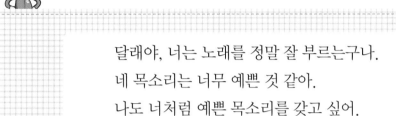

달래야, 너는 노래를 정말 잘 부르는구나.

네 목소리는 너무 예쁜 것 같아.

나도 너처럼 예쁜 목소리를 갖고 싶어.

 힌트

밤톨이의 칭찬하는 말에 대해 먼저 고마움을 표시하고, 밤톨이를 같이 칭찬해 줘요. 겸손한 태도로 대답하는 말을 쓰는 것도 잊지 말아요.

칭찬 상장 만들기

판판
우아, 상장 많다!

밤톨
상을 받는 일은 기분 좋은 일이지~.

기찬
우리가 직접 칭찬 상장을 만들어 고마운 분들께 드리는 것은 어때?

오늘은 주변에 있는 고마운 분들을 떠올려 그분들께 드릴 칭찬 상장을 만들어 봐요~!

I 😊 입력

⭐ 칭찬 상장을 만들어 보자!

1. 상을 받는 사람을 써요.

2. 칭찬하고 싶은 점을 써요.

3. 칭찬하고 싶은 까닭을 써요.

4. 상을 주는 사람을 밝혀요.

▶ 정답 및 해설 20쪽

● 칭찬 상장을 만드는 방법에 맞게 빈칸에 알맞은 말을 따라 쓰세요.

> • 상을 **받 는 사 람** 을 써요.
>
> • **칭 찬** 하고 싶은 점을 써요.
>
> • 칭찬하고 싶은 **까 닭** 을 써요.
>
> • 상을 **주 는 사 람** 을 밝혀요.

3
주

● 위에서 따라 쓴 낱말을 모두 찾아 색칠해 보고, 어떤 모양이 나오는지 알아보아요.

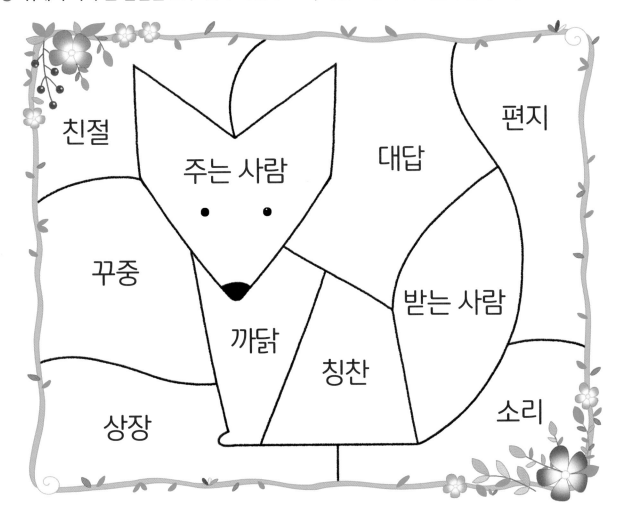

친절 / 편지 / 주는 사람 / 대답 / 꾸중 / 받는 사람 / 까닭 / 칭찬 / 상장 / 소리

5일 칭찬 상장 만들기

○ 다음 만화를 읽고, 밤톨이가 칭찬 상장을 전하고 싶은 사람과 칭찬할 내용을 써서 칭찬 상장을 만들어 보세요.

칭찬 상장

환경미화원님

위 환경미화원님께서는 매일 아침마다 우리 동네를 깨끗하게 청소해 주셨습니다.

환경미화원님 덕분에 우리가 깨끗한 동네에서 지낼 수 있기에 이 칭찬 상장으로 고마운 마음을 전합니다.

20○○년 4월 7일
천재초등학교 2학년 1반
기찬 드림

🐹 **어휘 풀이**

▼**출동**|날 출 出, 움직일 동 動| 일정한 사람들이 어떤 목적을 가지고 나감.
　　⑩ 소방대원들이 출동 준비를 마쳤다.
▼**처한** 어떤 형편이나 처지에 놓인.
　　⑩ 반달가슴곰은 멸종 위기에 처한 동물이다.

▶정답 및 해설 20쪽

낱말 쓰기

1 단계

다음 그림을 보고, 밤톨이가 소방관님을 칭찬하고 싶은 점은 무엇일지 빈칸에 알맞은 말을 쓰세요.

불이 났을 때 재빨리 출동해서 **불**을 꺼 주시고 **위험**에 처한 사람들을 구해 주셔.

(1) 불이 났을 때 재빨리 출동해서 ㅂ 을 꺼 주셨습니다.

(2) ㅇ ㅎ 에 처한 사람들을 구해 주셨습니다.

문장 쓰기

2 단계

밤톨이가 소방관님을 칭찬하고 싶은 까닭은 무엇일지 빈칸에 알맞은 말을 보기 에서 골라 쓰세요.

> 보기
>
> 안전하게 　　　　 우리가 　　　　 지낼 수

소방관님 덕분에

있습니다.

한 편 쓰기

3 단계

1과 2에서 쓴 내용을 넣어 밤톨이가 소방관님께 드릴 칭찬 상장을 완성해 보세요.

소방관님

위 소방관님께서는 _____

_____ 주시고, _____

_____.

소방관님 _____

있기에 이 칭찬 상장으로 고마운 마음을 전합니다.

밤톨 드림

1 잘 듣고, 따라 쓰세요.

따라 쓰기

❶ | 환 | 경 | 미 | 화 | 원 | 님 | | | |

❷ | 칭 | 찬 | V | 상 | 장 | 으 | 로 | | |

2 잘 듣고, 빈칸에 알맞은 낱말을 받아쓰세요.

낱말
받아쓰기

❶ 동네를 깨끗하게 [   ] 해 주셨습니다.

❷ [   ] 를 치워 주십니다.

3 잘 듣고, 사진에 알맞은 문장을 받아쓰세요.

문장
받아쓰기

| | | | | V | | | | |
| | | | | | | | | |

● 우리 주변에서 칭찬하고 싶은 사람을 떠올려 칭찬 상장을 만들어 보세요.

칭찬 상장

_____님

20_____년 _____월 _____일

_____초등학교 ____학년 ____반

_____ 드림

 힌트 상을 받는 사람, 칭찬하고 싶은 점, 칭찬하고 싶은 까닭, 상을 주는 사람이 모두 알맞게 들어가게 칭찬 상장을 만들어 봐요.

생활 어휘 다음 만화를 보며 속담의 뜻을 알아보고, 상황에 맞게 속담을 써 보세요.

다 된 농사에
낫 들고 덤빈다

속담의 뜻을 알아봐요!

다 된 농사에 낫 들고 덤빈다

이 속담은 "일이 끝난 뒤에 쓸데없이 참견하고 나선다."라는

뜻이랍니다.

이제 이 속담을 넣어 상황에 맞게 써 볼까요?

친구는 교실 청소를 다 끝내니 나타나서

" 다 된 농 사 에 낫

들 고 덤 빈 다 "라는 말처

럼 참견을 했다.

● 길을 잃은 새끼 물고기가 엄마 물고기가 있는 곳으로 갈 수 있도록 뜻에 맞는 낱말을 찾아
따라 쓰며 엄마 물고기를 찾아가세요.

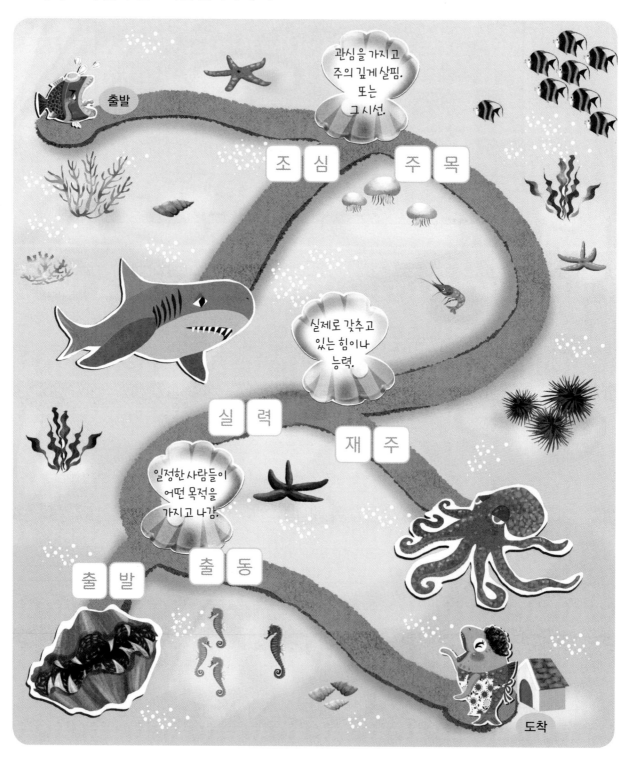

 창의 3주에 나왔던 **낱말과 그 뜻**을 익히며 엄마 물고기에게 가는 길을 찾아봅니다.

▶ 정답 및 해설 21쪽

● 축구를 잘하는 희수가 실내 체육관에 축구 경기를 하러 왔어요. 후반전 경기가 시작하는 시각을 바르게 표시한 것에 ◯표를 하세요.

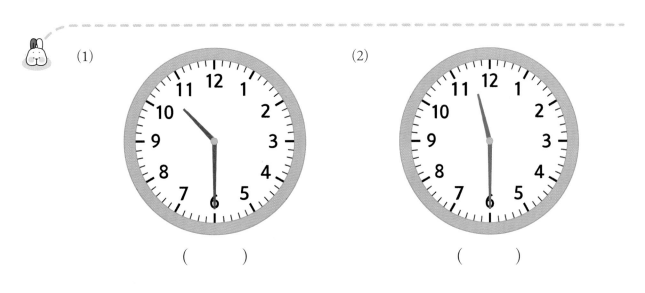

(1) (　　　)

(2) (　　　)

 융합
국어+수학   희수가 잘하는 점을 생각해 보고, 후반전 경기가 시작하는 **시각을 바르게 표시한 것**을 찾아봅니다.

● 소방관님께서 불이 난 곳의 불을 모두 끄고 소방서에 도착할 수 있도록 빈칸에 공통으로 들어갈 숫자를 넣어 코딩 명령을 완성하세요.

소방관님께서는 제시된 화살표 방향으로 몇 칸을 움직여야 불이 난 곳의 불을 모두 끄고 무사히 소방서에 도착할 수 있을까요?

코딩 소방관님께서 불을 끄고 무사히 소방서에 도착하려면 어떤 코딩 명령이 필요한지 생각하며 **코딩 명령을 완성**해 봅니다.

▶정답 및 해설 21쪽

◉ 다음은 교통경찰님께 드릴 칭찬 상장을 만든 것이에요. 어떤 말로 칭찬 상장을 만들어야 하는지 그림에 맞는 글자를 찾아 써 보세요.

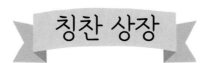 칭찬 상장

교통경찰님

위 교통경찰님께서는 매일 아침마다 복잡한 사거리에서

를 해 주십니다.

교통경찰님 덕분에 우리들이 안전하게 길을 건널 수 있기에 이 칭찬 상장으로 고마운 마음을 전합니다.

20◯◯년 6월 5일

천재초등학교 2학년 3반

김서윤 드림

3
주

그림						
나타내는 글자	통	주	정	차	교	리

➜ 교통경찰님께서는 매일 아침마다 복잡한 사거리에서 ☐☐☐☐를 해 주십니다.

 창의　칭찬 상장을 만드는 방법을 알아보고, 칭찬 상장에 들어갈 말을 써 봅니다.

1 다음은 어떤 글에 대한 설명인지 빈칸에 알맞은 말을 쓰세요.

> 어떤 사람의 좋은 점이나 그 사람이 잘하는 것을 찾아 여러 사람에게 알리거나 그 사람에게 전달하기 위하여 쓰는 글이다.

☐☐ 하는 글

[2~3] 다음 글을 읽고, 물음에 답하세요.

선생님, 안녕하세요.

내 친구 서윤이는 ☐☐를 잘합니다. 웃어른을 만나면 항상 "안녕하세요." 하고 바르게 인사를 합니다. 나도 예의가 바른 모습을 본받고 싶습니다.

2 이 글은 친구의 어떤 점을 칭찬하는 글인지 알맞은 것에 ○표를 하세요.

(1) 잘하는 점　　　　　　(　)

(2) 고마웠던 점　　　　　　(　)

글쓰기

3 이 글의 빈칸에 들어갈 알맞은 말을 보기 에서 골라 쓰세요.

> **보기**
>
> 운동　　　인사　　　공부

☐☐

4 다음 칭찬하는 글의 빈칸에 들어갈 내용을 바르게 말한 친구의 이름을 쓰세요.

> 수혁아, 젓가락질 연습을 열심히 하더니 젓가락질을 잘하게 되었구나.
>
> ☐

> 희수: 나는 더 잘해.
>
> 서윤: 네가 대단해 보여.

(　　　　　)

5 다음은 받아쓰기를 한 문장이에요. 바르게 받아쓴 문장에 ○표를 하세요.

(1) 노래를 열심히 연습해서 <u>실녁</u>이 많이 좋아졌구나.　　　　　　(　)

(2) 노래를 열심히 연습해서 <u>실력</u>이 많이 좋아졌구나.　　　　　　(　)

6 다음 칭찬하는 글에는 어떤 마음이 담겨 있는지 알맞은 말에 ◯표를 하세요.

> 지수야, 미술 시간에 준비물을 가져오지 않았는데 나에게 찰흙을 나누어 주어서 정말 고마워.
> 네 덕분에 선생님께 혼나지 않고 미술 수업을 잘 받을 수 있어서 너무 다행이었어.

(미안한 , 고마운) 마음

7 칭찬하는 말을 들었을 때 대답하는 말을 쓰는 방법으로 알맞지 <u>않은</u> 것에 ×표를 하세요.

(1) 고마움을 표시한다. ( )
(2) 상대를 같이 칭찬해 준다. ( )
(3) 잘난 체하는 듯이 쓴다. ( )

8 다음 그림의 칭찬하는 말을 듣고 대답하는 말을 바르게 쓴 것에 ◯표를 하세요.

너는 정말 발표를 잘한다. 네가 부러워.

(1) | 그래? 내가 좀 발표를 잘하지? 너도 큰 목소리로 발표를 해 봐. | ( )

(2) | 칭찬해 주어서 고마워! 하지만 너도 발표를 잘하던데? 나는 네가 부러워. | ( )

[9~10] 다음 칭찬 상장을 읽고, 물음에 답하세요.

칭찬 상장

◻◻◻◻님

ㄱ위 환경미화원님께서는 매일 아침마다 우리 동네를 깨끗하게 청소해 주셨습니다.
ㄴ환경미화원님 덕분에 우리가 깨끗한 동네에서 지낼 수 있기에 이 칭찬 상장으로 고마운 마음을 전합니다.

20◯◯년 4월 7일
천재초등학교 2학년 1반
기찬 드림

글쓰기

9 이 칭찬 상장을 받는 사람은 누구인지 빈칸에 들어갈 말을 쓰세요.

◻◻◻◻◻님

10 이 칭찬 상장에서 ㄱ과 ㄴ은 각각 무엇에 해당하는지 선으로 이으세요.

(1) ㄱ •

(2) ㄴ •

• ① 칭찬하고 싶은 점

• ② 칭찬하고 싶은 까닭

가족 신문 기사를 써 보자!

4주에는 무엇을 공부할까? ❷

1-1 가족 신문 기사에 들어갈 내용이 <u>아닌</u> 것에 ×표를 하세요.

가족에게 있었던 일	선생님께 있었던 일
생각이나 느낌	제목

1-2 가족 신문 기사에 들어갈 내용에 대해 알맞게 말한 친구에 ○표를 하세요.

엄마께서 요리 자격증을 따신 일과 그 일에 대한 생각이나 느낌을 써야지!

우리 반 친구들이 봉사 활동을 한 일과 그 일에 대한 생각이나 느낌을 써야지!

(1) (   )   (2) (   )

▶ 정답 및 해설 23쪽

2-1 가족 신문 기사에 제목을 쓰는 방법으로 알맞지 <u>않은</u> 것을 골라 ×표를 하세요.

(1) 사실을 짧게 요약해서 제목을 쓴다. ( )

(2) 자신의 생각만 담아서 제목을 쓴다. ( )

(3) 기사에서 전하고자 하는 내용이 잘 드러나게 제목을 쓴다. ( )

(4) 더 전달하고 싶은 내용이 있다면 제목 아래에 소제목을 붙인다. ( )

4주

2-2 다음은 가족 신문 기사에 제목을 쓰는 방법입니다. 빈칸에 알맞은 낱말을 쓰세요.

자신의 생각을 담기보다는 ㅅ ㅅ 을 짧게 요약해서 쓴다.

1일 기삿거리 떠올리기

밤톨
나는 달래가 동생과 싸운 일을 가족 신문 기삿거리로 떠올렸어!

글봇
밤톨아, 너희 가족에게 있었던 일을 떠올려야지.

밤톨
하지만 우리 가족은 바밤별에 있는걸. 엄마~ㅠㅠ

이번 주에는 가족 신문을 만들어 볼 거예요.
가족 신문 기사를 쓰기 위해 저는
지난주 형의 결혼식을 떠올렸어요.

가족 신문의 기삿거리를 떠올려라!

가족 신문은 가족의 소식들을 싣는 신문이에요.

가족에게 있었던 일과 그 일에 대한 생각이나 느낌을 쓰고,

제목도 쓰면 가족 신문에 들어갈 기사를 완성할 수 있지요.

가족 신문의 기삿거리를 떠올릴 때에는 반드시 자신의 가족에게 있었던 일을 떠올려야 해요.

● 그림에 맞는 퍼즐 모양을 찾아 ○표를 하고, 가족 신문의 기삿거리를 떠올리는 방법에 맞게 빈칸에 들어갈 말을 알아보아요.

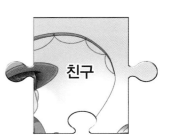

4
주

 가족 신문의 기삿거리를 떠올리며 문장을 따라 쓰세요.

지	난	주	에	∨	아	버	지	께
서	∨	낚	시	를	∨	가	셔	서	∨
커	다	란	∨	물	고	기	를	∨	잡
아	∨	오	셨	다	.

기삿거리 떠올리기

● 다음은 지난달에 세아의 주변에서 있었던 일들을 떠올린 것입니다. 세아가 어떤 일을 가족 신문의 기삿거리로 정하였는지 쓰세요.

동생이 초등학교에 입학했어.

내 짝이 글짓기 대회에서 일 등을 해서 상장을 받았어.

세아

옆 반 친구들이 현장 체험학습을 갔었지.

소꿉친구가 이사를 갔어.

지난달에 있었던 일 중에, 우리 가족에게 있었던 일을 가족 신문▼기삿거리로 정해야 해. 동생이 초등학교에 입학한 일을 가족 신문▼기사로 쓰면 되겠다.

🐭 **어휘 풀이**

▼**기삿**|기록할 기 記, 일 사 事|**거리**　신문이나 잡지 따위에 실릴 만한 글감.
　　예 학급 신문 기삿거리로 우리 반 친구들에게 있었던 일을 떠올렸다.

▼**기사**|기록할 기 記, 일 사 事|　신문이나 잡지 따위에서, 어떠한 사실을 알리는 글.
　　예 가족 신문에는 가족의 소식을 전하는 기사를 써야 한다.

낱말 쓰기

1단계

다음 그림을 보고, 세아의 동생 세찬이에게 어떤 일이 있었는지 빈칸에 알맞은 낱말을 보기 에서 각각 골라 쓰세요.

보기

| 동생 | 아빠 | 초등학교 | 놀이공원 |

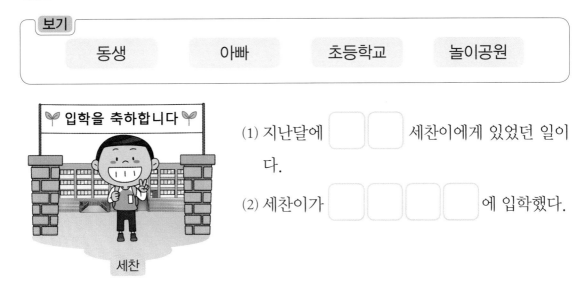

(1) 지난달에 [ ] [ ] 세찬이에게 있었던 일이다.

(2) 세찬이가 [ ] [ ] [ ] 에 입학했다.

문장 쓰기

2단계

1에서 있었던 일을 한 문장으로 정리해서 쓰세요.

지난달에   세찬이가

                    .

한 편 쓰기

3단계

2에서 완성한 문장을 사용해 세아가 언제, 가족 중 누구에게 있었던 일을 가족 신문의 기삿거리로 정하였는지 쓰세요.

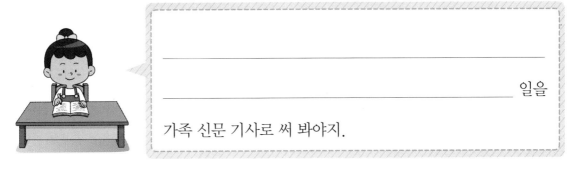

_____

_____ 일을

가족 신문 기사로 써 봐야지.

1
따라 쓰기

잘 듣고, 따라 쓰세요.

❶

| | 옆 | V | 반 | V | 친 | 구 | 들 | | |

❷

| | 현 | 장 | V | 체 | 험 | 학 | 습 | | |

2
낱말
받아쓰기

잘 듣고, 빈칸에 알맞은 낱말을 받아쓰세요.

❶ 초등학교에 ⬚⬚ 했어.

❷ ⬚⬚⬚⬚ 가 이사를 갔어.

3
문장
받아쓰기

잘 듣고, 그림에 알맞은 문장을 받아쓰세요.

| | 일 | V | 등 | 을 | V | 해 | 서 | V | |
| | | V | | | | | | | |

▶ 정답 및 해설 23쪽

● 다음 만화를 읽고, 세아가 가족 신문 기사를 쓰기 위해 떠올려 본 기삿거리를 쓰세요.

_____

_____ 일을 가족

신문 기사로 써 봐야지.

가족에게 있었던 일 쓰기

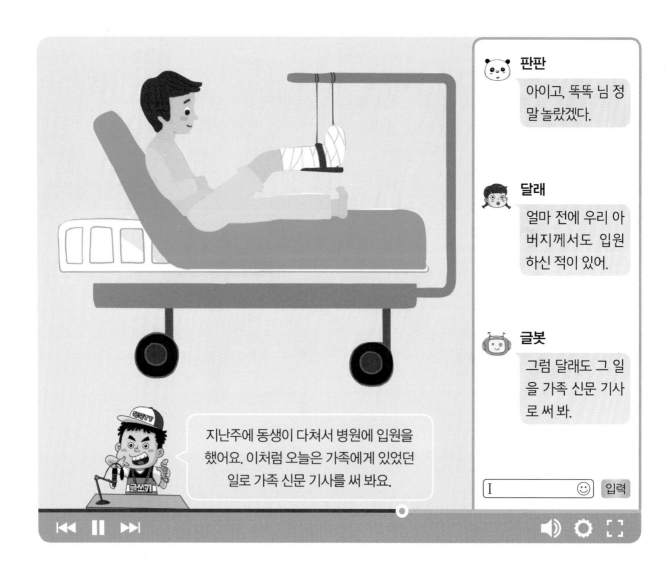

판판
아이고, 똑똑 님 정말 놀랐겠다.

달래
얼마 전에 우리 아버지께서도 입원하신 적이 있어.

글봇
그럼 달래도 그 일을 가족 신문 기사로 써 봐.

지난주에 동생이 다쳐서 병원에 입원을 했어요. 이처럼 오늘은 가족에게 있었던 일로 가족 신문 기사를 써 봐요.

가족에게 있었던 일을 사실대로 써라!

가족 신문의 기사에 가족에게 있었던 일을 쓸 때에는

언제, 가족 중 누구에게 있었던 일인지 자세히 써야 해요.

기사를 쓸 때에는 사실을 있는 그대로 써야 하고

없는 일을 상상해서 쓰거나 부풀려 쓰지 않아야 해요.

▶ 정답 및 해설 24쪽

◉ 가족 신문 기사에 가족에게 있었던 일을 쓰는 방법에 맞게 빈칸에 알맞은 말을 쓰고, 퍼즐판에서 찾아 ○표를 하세요.

가족 신문 기사를 쓸 때에는 ❶ 언 제 , 가족 중 누구에게

있었던 일인지 ❷ 써요.

아	이	유	자
언	제	터	세
호	에	대	히
미	사	실	진

가족 신문 기사를 쓸 때에는
❸ 을 있는 그대로 써요.

가족에게 있었던 일 쓰기

● 준우네 가족의 단체 대화방을 보고, 가족 신문 기사에 들어갈 서우에게 있었던 일을 정리해 쓰세요.

서우: 오늘 학교에서 열린 수학 경시대회에서 상을 탔어요!

제00회 수학 경시대회

준우: 상장을 받았구나. 정말 축하해!

서우: 오빠, 축하해 줘서 고마워. 트로피도 같이 받았어.

서우: 상을 타서 정말 기뻐.

엄마: 한 달 동안 열심히 공부하더니 잘됐구나.

엄마: 좋은 결과를 거둬서 엄마도 기뻐!

준우: 가족 신문 기사로 네가 상을 탄 소식을 써야겠다!

어휘 풀이

▼ **경시대회** |다툴 경 競, 시험할 시 試, 큰 대 大, 모일 회 會| 한 분야의 특별한 기술이나 기능을 가진 사람들이 한곳에 모여 시험을 치르는 대회.
　　예) 진아가 과학 경시대회에서 좋은 성적을 거두었다.

▼ **트로피**   상을 탈 수 있는 등수 안에 든 것을 기념하기 위하여 주는 기념품.
　　예) 이번 수영 대회에서는 삼 등까지 트로피를 준다.

▼ **소식** |꺼질 소 消, 숨쉴 식 息| 멀리 떨어져 있는 사람의 사정을 알리는 말이나 글.
　　예) 전학 간 친구에게서 오랜만에 소식이 왔다.

▲ 트로피

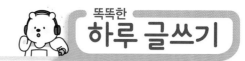

▶정답 및 해설 24쪽

낱말 쓰기

다음 서우에게 있었던 일을 나타낸 그림을 보고, 빈칸에 알맞은 낱말을 각각 쓰세요.

(1) 5월 25일 ⎡ㄱ⎤ ⎡ㅇ⎤ ⎡ㅇ⎤ 에 있었던 일이다.

(2) 서우가 ⎡ㅅ⎤ ⎡ㅎ⎤ 경시 대회에서 상을 탔다.

(3) 서우는 상장과 ⎡ㅌ⎤ ⎡ㄹ⎤ ⎡ㅍ⎤ 를 받았다.

문장 쓰기

1에서 서우에게 있었던 일을 두 문장으로 정리하여 쓰세요.

❶ 　5월 25일　　　　　에 서우가
　　　　　　　　　탔다.

❷ 　서우는　　　　　　　　　　받았다.

한 편 쓰기

2에서 쓴 문장을 넣어 가족 신문에 들어갈 서우에게 있었던 일을 완성해 쓰세요.

		❶5	월	V	25	일	V		
		V	서	우	가	V			V
						V			V
		❷서	우	는	V				V
				V					

1 잘 듣고, 따라 쓰세요.

따라 쓰기

❶ | 잘 | 됐 | 구 | 나 | . | | | |

❷ | 소 | 식 | 을 | V | 써 | 야 | 겠 | 다 | ! |

2 잘 듣고, 빈칸에 알맞은 낱말을 받아쓰세요.

낱말 받아쓰기

❶ | | | | 줘서 고마워.

❷ 트로피도 | | | 받았어.

3 잘 듣고, 그림에 알맞은 문장을 받아쓰세요.

문장 받아쓰기

			V				V		
	V	엄	마	도	V	기	뻐	!	

▶ 정답 및 해설 24쪽

● 가족 신문 기사에 가족에게 있었던 일을 쓰려고 합니다. 다음 그림을 보고, 보기 의 내용 중 한 가지를 골라 가족 신문 기사에 쓸 문장을 완성하세요.

1월 3일 월요일

10월 13일 목요일

12월 24일 토요일

보기

쌍둥이 동생이 태어났다.

어머니께서 그동안 그리신 그림으로 전시회를 여셨다.

할아버지께서 모으신 돈을 어려운 사람들을 위해 기부하셨다.

		월		일			요	일	,

힌트

세 가지 내용 중 마음에 드는 것을 골라 보세요. 그림과 어울리고, 가족과 관련된 일이라면 어떤 내용을 넣어도 모두 답이 될 수 있어요.

생각이나 느낌 쓰기

밤톨
생각이나 느낌? 그건 어떻게 쓰는 거지?

글봇
네 기분을 쓰거나 너의 바람이나 의견을 쓰면 돼.

달래
아~. '송편이 맛있어서 행복했다.' 이렇게 말이지?

어제는 추석이었지요? 저는 추석에 있었던 일을 가족 신문 기사로 써 볼 거예요. 오늘은 가족 신문 기사에 들어갈 생각이나 느낌도 써 봐요.

가족 신문 기사에 생각이나 느낌을 써라!

가족 신문 기사에는 가족에게 있었던 일과 함께 그 일에 대해

자신의 생각이나 느낌을 써 볼 수 있어요.

가족에게 있었던 일에 대해 어떤 기분이 들었는지,

그 일에 대한 자신의 바람이나 의견은 어떠한지 등을 써 볼 수 있어요.

● 가족 신문 기사에 생각이나 느낌을 쓰는 방법에 맞게 빈칸에 알맞은 낱말을 따라 쓰세요.

- 가족에게 있었던 일에 대해 어떤 　기　분　이 들었는지 써요.

- 가족에게 있었던 일에 대한 자신의 　바　람　이나 　의　견　은 어떠한지 써요.

● 위에서 따라 쓴 말을 모두 찾아 색칠해 보고, 어떤 모양이 나오는지 알아보아요.

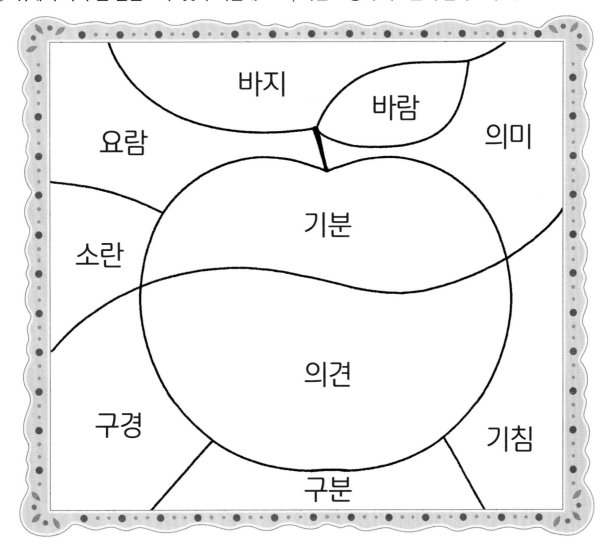

3일 생각이나 느낌 쓰기

● 다음 만화를 읽고, 가족 신문 기사에 들어갈 생각이나 느낌을 쓰세요.

어휘 풀이

▼ **마라톤** 육상 경기에서 42.195킬로미터를 달리는 장거리 경주 종목.

  예 마라톤 대회에서 좋은 기록을 내기 위해 매일 달리기 연습을 했다.

▼ **참가** |참여할 참 參, 더할 가 加| 모임이나 단체 또는 일에 관계하여 들어감.

  예 우리나라 선수들이 올림픽에 참가했다.

▼ **완주** |완전할 완 完, 달릴 주 走| 목표한 지점까지 다 달림.

  예 승철이는 10킬로미터를 완주했다.

낱말 쓰기

다음은 가족 신문 기사를 쓰기 위해 아버지께 있었던 일을 정리한 것입니다. 그림 속 말을 잘 읽고, 빈칸에 알맞은 낱말을 각각 쓰세요.

4월 20일

가족을 생각하며 힘을 내서 **마라톤**을 완주했단다.

(1) 4월 20일에 아버지께서 ㅁ ㄹ ㅌ 대회에 참가하셨다.

(2) 아버지께서는 가족을 생각하며 힘을 내서 ㅇ ㅈ 하셨다.

문장 쓰기

1에서 답한 일에 대한 생각이나 느낌으로 알맞은 말을 보기 에서 각각 골라 쓰세요.

보기

매우 맛있었다   정말 멋있었다   좋은 성적을   나쁜 결과를

❶ 가족을 생각하며 힘을 내서 완주하신 아버지의 모습이

.

❷ 다음 대회에서도 아버지께서   거두시길 바란다.

한 편 쓰기

2에서 쓴 생각이나 느낌을 넣어 다음 가족 신문 기사를 완성하세요.

아버지의 마라톤 대회 완주

4월 20일에 아버지께서 마라톤 대회에 참가하셨다. 아버지께서는 가족을 생각하며 힘을 내서 완주하셨다.

❶ _____

_____

❷ _____

_____

3일

똑똑한 하루 글쓰기 받아쓰기

받아쓰기 듣기

▶ 정답 및 해설 25쪽

1
따라 쓰기

잘 듣고, 따라 쓰세요.

❶ 정 말 ∨ 멋 져 요 !

❷ 좋 은 ∨ 성 적

2
낱말
받아쓰기

잘 듣고, 빈칸에 알맞은 낱말을 받아쓰세요.

❶ 같이 응원을 가면 [   ] !

❷ [   ] 달리신 아빠

3
문장
받아쓰기

잘 듣고, 그림에 알맞은 문장을 받아쓰세요.

아 버 지 께 서 ∨ [   ] ∨

[   ] ∨ [   ]

▶ 정답 및 해설 25쪽

● 보기 의 내용 중 생각이나 느낌이 잘 드러난 문장을 한 가지 골라 가족 신문 기사를 완성해 보세요.

아버지, 새 자동차 사시다

3월 15일, 아버지께서 새 자동차를 사셨다. 자동차는 검정색이었고, 우리 가족을 모두 태우고도 남을 만큼 컸다. 우리 가족은 아버지께서 새 자동차를 사신 기념으로 함께 차를 타고 나들이를 다녀왔다.

보기

아버지께서 새 자동차를 항상 안전하게
운전하시기를 바란다.

아버지께서 새 자동차로 우리 가족을
좋은 곳에 많이 데려다주시면 좋겠다.

 두 가지 내용 중
마음에 드는 것을
골라 보세요. 어떤 내용을
넣어도 모두 답이
될 수 있어요.

4
주

기사 제목 쓰기

밤톨
기사에 제목이 왜 필요해?

달래
넌 그것도 모르니? 왜냐하면……, 그게, 음…….

글봇
하하, 제목을 보면 기사에서 전하려는 내용을 쉽게 알 수 있잖아.

오늘은 가족 신문 기사에 제목을 붙여 볼 거예요.

가족 신문 기사에 제목 을 써라!

가족 신문 기사의 제목은 기사에서 전하고자 하는 내용이 잘 드러나게 써야 해요.

기사의 제목은 자신의 생각을 담기보다는 사실을 짧게 요약해서 써요.

전하고 싶은 내용을 짧은 제목 안에 다 담지 못했다면

더 전달하고 싶은 내용을 담아 제목 아래에 소제목을 붙일 수도 있어요.

제목은 기사를 쓰기 전에 미리 쓸 수도 있고, 기사를 다 쓴 후에 써도 된답니다.

◎ 사다리 타기를 하여 도착한 곳의 낱말을 따라 쓰며, 가족 신문 기사에 제목을 쓰는 방법을 알아보아요.

> 기사에서 전하고자 하는 ○○이 잘 드러나게 써요.

> 자신의 생각을 담기보다는 ○○을 짧게 요약해서 써요.

> 더 전달하고 싶은 내용을 담아 제목 아래에 ○○○을 붙일 수도 있어요.

| 내 용 | 소 제 목 | 사 실 |

⊙ 다음 가족 신문 기사를 읽고, ㉠ 과 ㉡ 안에 들어갈 기사의 제목과 소제목을 각각 쓰세요.

㉠

㉡

　　10월 5일 토요일에 아빠, 엄마, 오빠와 함께 전주에 다녀왔다. 가족회의에서 전주가 두 표를 받아 가족 여행 장소로 선정되었기 때문이다.

　　전주 한옥 마을에 도착한 우리 가족은 가장 먼저 한복을 빌려 입었다. 한옥 마을 곳곳에는 한복을 빌려주는 가게들이 있었다. 한복을 입고 한옥 마을을 여기저기 돌아다니며 경기전, 전동 성당 등을 관람했다. 함께 먹은 전주비빔밥도 빼놓을 수 없는 별미였다.

　　전주 여행에서 가장 기억에 남는 곳은 경기전이다. 태조 이성계의 영정이 모셔져 있었기 때문이다. 또, 전통 음식인 전주비빔밥을 먹으니 전주에 있다는 사실이 실감 났다. 다음에 또 가족들과 여행을 가고 싶다.

▲ 전주 한옥 마을　　　　▲ 경기전의 태조 이성계 영정　　　　▲ 전동 성당

🐻 **어휘 풀이**

▼**선정**│가릴 선 選, 정할 정 定│　여럿 가운데서 어떤 것을 뽑아 정함.

　　⑩ 우리 반에서 가장 친절한 친구로 미수가 선정되었다.

▼**별미**│다를 별 別, 맛 미 味│　특별히 좋은 맛. 또는 그 맛을 지닌 음식.

　　⑩ 더운 날 먹은 아이스크림은 정말 별미였다.

▼**영정**│그림자 영 影, 그림 족자 정 幀│　제사나 장례를 지낼 때 쓰는, 죽은 사람의 얼굴을 그린 그림이나 사진. ⑩ 조상님의 영정을 보았다.

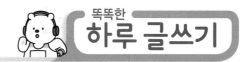
낱말 쓰기

다음 가족에게 있었던 일을 나타낸 그림을 보고, 빈칸에 알맞은 낱말을 각각 쓰세요.

(1) 10월 5일 토요일, | ㅈ | ㅈ | 로 가족 여행을 다녀왔다.

(2) | ㅎ | ㅂ | 을 입고 한옥 마을을 보았다.

(3) | ㅈ | ㅈ | ㅂ | ㅂ | | ㅂ | 도 먹었다.

문장 쓰기

1에서 쓴 내용을 바탕으로 가족 신문 기사를 쓸 때, ㉠ 과 ㉡ 안에 들어갈 알맞은 제목과 소제목을 보기 에서 각각 골라 쓰세요.

보기

전주로 가족 여행   경주로 유물 구경

한복 입고   양복 입고

오징어순대 먹어   전주비빔밥 먹어

❶ ㉠ 제목 | | | | | | 다녀오다

❷ ㉡ 소제목

한옥 마을 보고,

……

1 잘 듣고, 따라 쓰세요.

따라 쓰기

❶ 전 주 에 V 다 녀 왔 다 .

❷ 두 V 표 를 V 받 아

2 잘 듣고, 빈칸에 알맞은 낱말을 받아쓰세요.

낱말
받아쓰기

❶ 한옥 마을 [____] 한복을 빌려주는 가게들이 있었다.

❷ 다음에 또 가족들과 여행을 가고 [____] .

3 잘 듣고, 그림에 알맞은 문장을 받아쓰세요.

문장
받아쓰기

V V V

▶ 정답 및 해설 26쪽

● 다음 만화의 내용으로 가족 신문 기사를 쓸 때, 알맞은 제목과 소제목을 각각 떠올려 쓰세요.

4
주

(1) 제목

(2) 소제목

 힌트 만화를 읽고, 가족에게 있었던 일을 사실대로 짧게 요약해서 제목을 썼어요.
가족 신문 기사의 제목은 기사를 쓰기 전에 먼저 써 볼 수도 있어요.

5일 가족 신문 기사 쓰기

판판
난 가족과 대나무의 잎을 나눠 먹은 일이 생각 나.

달래
앗, 나는 그럼 가족과 케이크를 나눠 먹은 일!

글봇
너희 전부 먹는 것밖에 생각이 안 나는 거야?

I 😊 입력

오늘은 한 편의 가족 신문 기사를 써 볼 거예요. 모두들 가족에게 있었던 일을 한 가지씩 생각해 봐요!

가족에게 있었던 일로 가족 신문 기사를 써라!

가족 신문 기사를 쓸 때에는 가족에게 있었던 일을 쓰고,

그 일에 대한 자신의 생각이나 느낌을 쓴 후

간단하게 제목과 소제목을 붙여요.

가족에게 있었던 일과 관련된 사진이나 그림을 함께 넣어 볼 수도 있답니다.

◉ 가족 신문 기사를 쓰는 방법에 맞게 빈칸에 알맞은 말을 쓰고, 퍼즐판에서 찾아 ○표를 하세요.

❶ 가 족 에게 있었던 일을 써요.

생각이나 느낌을 쓰고 ❷ ☐ ☐ 과 소제목을 붙여요.

사	휴	새	가
진	두	루	족
노	제	목	월
토	주	화	져

가족에게 있었던 일과 관련된 ❸ ☐ ☐ 이나 그림을 함께 넣어 볼 수도 있어요.

가족 신문 기사 쓰기

● 다음 학급 누리집의 글을 읽고, 유아가 되어 가족 신문 기사를 쓰세요.

엄마와 아빠의 열 번째 ▾결혼기념일

작성자 김유아   작성일 20○○. 09. 23 15:33   IP *.*.*.240   댓글 0   조회수 35

안녕, 나 유아야.

선생님께서 숙제로 내 주신 가족 신문 만들기는 다들 잘 하고 있니? 기자가 되어서 가족 신문을 만들려고 기삿거리를 떠올리다 최근 일이 생각나서 글을 써.

9월 20일 토요일에 우리 엄마, 아빠께서 열 번째 결혼기념일을 맞이하셨어. 그래서 두 분의 결혼기념일을 축하하면서 우리 가족이 자주 가는 식당에서 함께 저녁 식사를 했지. 나와 동생이 직접 쓴 편지도 드렸어.

엄마와 아빠가 기뻐하셔서 행복했고, 앞으로도 우리 가족에게 좋은 일만 있기를 바라.

너희의 가족 신문 기삿거리도 궁금하다. 글 ▾올려 줘.

로그인 후 사용 가능합니다.

댓글 작성

🐹 어휘 풀이

▾**결혼기념일**|맺을 결 結. 혼인할 혼 婚, 벼리 기 紀, 생각할 념 念, 날 일 日| 결혼한 날을 기념하여 해마다 함께 축하하는 날. 예 결혼기념일을 축하하기 위해 케이크를 샀다.

▾**올려** 컴퓨터 통신망이나 인터넷 신문에 파일이나 글, 기사 따위를 게시해.
예 학급 누리집에 우리 반 친구들이 올려 둔 글을 읽었다.

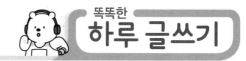

▶ 정답 및 해설 27쪽

낱말 쓰기

1 다음 그림을 보고, 가족 신문 기사의 제목과 소제목으로 알맞은 낱말을 빈칸에 각각 쓰세요.

(1) 제목 엄마와 아빠의 열 번째

ㄱ	ㅎ	ㄱ	ㄴ	ㅇ

(2) 소제목 함께 저녁 식사 하고, 직접

쓴 | ㅍ | ㅈ | 도 드려……

문장 쓰기

2 1에서 답한 제목에 알맞게 유아의 가족에게 있었던 일을 두 문장으로 정리하여 쓰세요.

❶ 9월 20일 토요일은

이었다.

❷ 자주 가는 식당에서   를 하고, 동생과 내

가   드렸다.

한 편 쓰기

3 유아가 가족 신문 기사에 쓸 수 있는 생각이나 느낌을 보기 에서 골라 쓰세요.

보기

앞으로도 우리 가족에게 행복한 일만 있기를 바란다.

엄마와 아빠의 결혼기념일에 함께할 수 있어서 기뻤다.

1 잘 듣고, 따라 쓰세요.
따라 쓰기

❶ | | 기 | 자 | 가 | V | 되 | 어 | 서 | | |

❷ | | 편 | 지 | 도 | V | 드 | 렸 | 어 | . | |

2 잘 듣고, 빈칸에 알맞은 낱말을 받아쓰세요.
낱말
받아쓰기

❶ 우리 가족에게 좋은 일만 있기를 | | | .

❷ 너희의 가족 신문 | | | | 도 궁금하다.

3 잘 듣고, 그림에 알맞은 문장을 받아쓰세요.
문장
받아쓰기

| | | V | | | V | | | |

| | | V | | | | | | |

● 가족에게 있었던 일을 한 가지 떠올려 가족 신문 기사를 쓰세요.

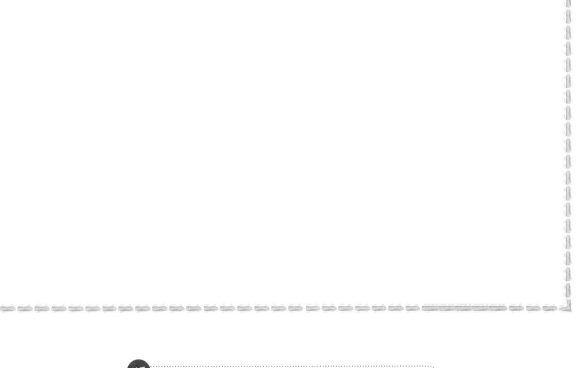

힌트 가족에게 있었던 일을 쓰고, 생각이나 느낌을 써요. 제목과
소제목도 붙여 보아요. 그림을 그리거나 사진을 붙여 봐도 좋아요.

생활 어휘 다음 만화를 보며 '우거지상'이라는 표현의 뜻을 알아보고, 상황에 맞게 써 보세요.

우거지상이라고?

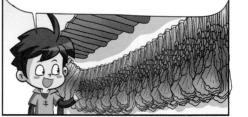

표현의 뜻을 알아봐요!

4주

우거지상

이 말은 "잔뜩 찌푸린 얼굴의 모양." 을 표현하는 말이랍니다.

이제 이 표현을 넣어 상황에 맞게 써 볼까요?

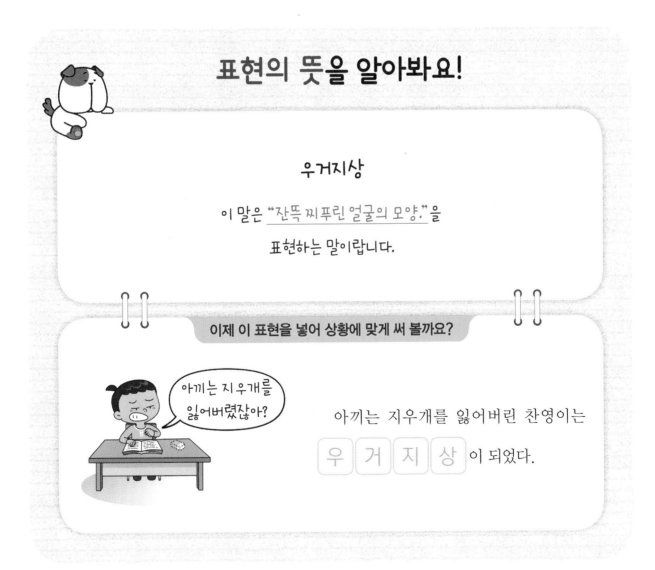

아끼는 지우개를 잃어버린 찬영이는

| 우 | 거 | 지 | 상 | 이 되었다.

● 초등학교에 입학한 세찬이가 처음으로 학교까지 혼자 길을 찾아가고 있어요. 어떤 낱말의 뜻인지 알맞은 답을 골라 따라 쓰며 길을 찾아가세요.

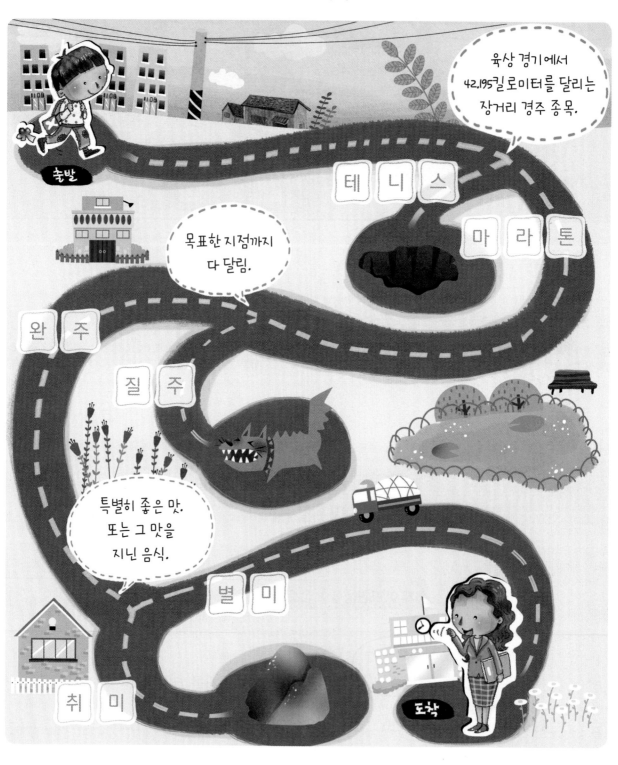

 창의   4주에 나왔던 **낱말과 그 뜻**을 익히며 세찬이가 무사히 학교까지 도착할 수 있도록 길을 찾아봅니다.

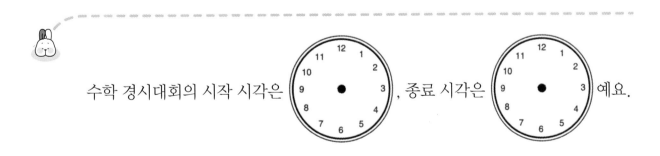

▶정답 및 해설 28쪽

서우가 수학 경시대회에 참가하려고 친구들과 함께 수학 경시대회 포스터를 보고 있어요. 서우와 친구들의 말을 잘 읽고, 수학 경시대회 시작 시각과 종료 시각을 각각 시계에 그려 보세요.

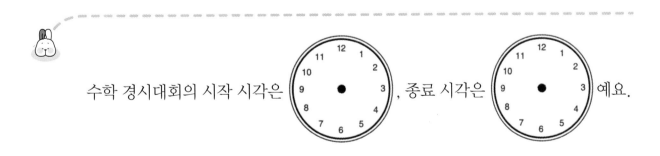

수학 경시대회의 시작 시각은 [ ], 종료 시각은 [ ] 예요.

 융합 국어+수학 수학 경시대회 포스터를 보고 쌓는 친구들의 말을 잘 읽고, **시작 시각과 종료 시각을 각각 시계에 그려** 봅니다.

● 마라톤에 관한 글을 읽어 보고, 진서의 아버지께서 마라톤에 참가한 장면을 그린 두 그림에서 다른 부분을 다섯 군데 찾아 ○표를 하세요.

마라톤은 42.195킬로미터를 달려서 도착 순서를 겨루는 달리기 경기로, 매우 먼 거리를 달려야 하기 때문에 강한 인내력과 지구력이 필요해요. 마라톤은 제1회 올림픽부터 경기 종목으로 채택되었고, 1908년 제4회 런던 올림픽부터 지금의 42.195킬로미터가 되었답니다. 우리나라의 손기정, 함기용, 황영조 선수 등이 올림픽의 마라톤 경기에서 금메달을 땄지요.

 융합
국어+체육
마라톤에 관한 글을 읽고, 두 그림에서 다른 부분을 모두 찾아봅니다.

▶ 정답 및 해설 28쪽

● 유아네 가족이 엄마와 아빠의 결혼기념일을 맞아 저녁 식사를 하기 위해 식당에 가고 있어요. 코딩 명령을 따라가서 유아네 가족이 도착한 식당의 이름을 쓰세요.

코딩 명령

▶ 시작하기 버튼을 클릭했을 때
3 번 반복하기
오른쪽으로 1 칸, 아래쪽으로 1 칸 이동하기

코딩 명령 풀이

유아네 가족은 오른쪽으로 한 칸, 아래쪽으로 한 칸 이동해요. 이것을 세 번 반복해요.

 유아네 가족이 도착한 식당의 이름은 [ ][ ][ ][ ] 예(이에)요.

 코딩 코딩 명령에 따라 이동하여 **식당의 이름을 찾아 써** 봅니다.

1 다음 중 빈칸에 들어갈 말로 알맞은 낱말을 따라 쓰세요.

가족 신문은 □□ 의 소식들을 싣는 신문이야.

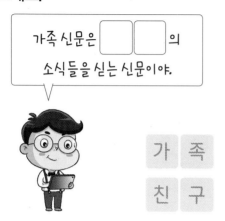

가	족
친	구

2 다음 그림을 보고 떠올린 가족 신문 기삿거리로 알맞은 것에 ○표를 하세요.

(1) 지난겨울에 누나가 중학교를 졸업했다.
( )

(2) 지난달에 동생이 초등학교에 입학했다.
( )

3 다음 가족 신문 기사의 일부를 읽고, 언제, 누구에게 있었던 일인지 알맞은 말을 각각 찾아 쓰세요.

5월 25일 금요일에 서우가 수학 경시대회에서 상을 탔다. 서우는 상장과 트로피를 받았다.

(1) 언제: ( )
(2) 누구에게: ( )

4 다음 가족 신문 기사의 일부를 읽고, 가족에게 있었던 일로 알맞은 그림에 ○표를 하세요.

1월 3일 월요일, 쌍둥이 동생이 태어났다.

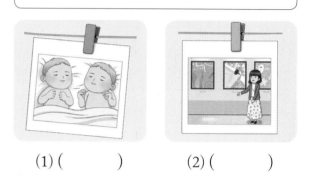

(1) ( )　　　　(2) ( )

5 다음 가족 신문 기사의 뒷부분에 올 생각이나 느낌을 바르게 쓴 친구의 이름을 쓰세요.

4월 20일에 아버지께서 마라톤 대회에 참가하셨다. 아버지께서는 가족을 생각하며 힘을 내서 완주하셨다.

경훈: 아버지께서 직접 요리하신 음식이 정말 맛있었다. 다음에는 다른 요리를 해 주시기를 바란다.

선호: 가족을 생각하며 힘을 내서 완주하신 아버지의 모습이 정말 멋있었다. 다음 대회에서도 아버지께서 좋은 성적을 거두시길 바란다.

( )

점수

글쓰기

6 다음은 아버지께 있었던 일로 쓴 가족 신문 기사입니다. 빈칸에 알맞은 낱말을 써 문장을 완성하고 따라 쓰세요.

> 3월 15일,
>
> | 아 | 버 | 지 | 께 | 서 | V | 새 | V |
> |---|---|---|---|---|---|---|---|
> | | | | 를 | V | 사 | 셨 | 다 |
> .
>
> 자동차는 검정색이었고, 우리 가족을 모두 태우고도 남을 만큼 컸다. 우리 가족은 아버지께서 새 자동차를 사신 기념으로 함께 차를 타고 나들이를 다녀왔다.
>   아버지께서 새 자동차를 항상 안전하게 운전하시기를 바란다.

[7~9] 다음 가족 신문 기사를 읽고, 물음에 답하세요.

>   10월 5일 토요일에 아빠, 엄마, 오빠와 함께 전주에 다녀왔다. 가족회의에서 전주가 두 표를 받아 가족 여행 장소로 선정되었기 때문이다.
>   전주 한옥 마을에 도착한 우리 가족은 가장 먼저 한복을 빌려 입었다. 한옥 마을 곳곳에는 한복을 빌려주는 가게들이 있었다. 한복을 입고 한옥 마을을 여기저기 돌아다니며 경기전, 전동 성당 등을 관람했다. 함께 먹은 전주비빔밥도 빼놓을 수 없는 별미였다.

7 다음 중 글쓴이가 가족 여행으로 전주에 다녀온 까닭을 알맞게 말한 사람의 이름을 쓰세요.

> 보람: 가족회의에서 전주가 두 표를 받았기 때문이야.
> 혜리: 오빠의 친구가 가족 여행으로 전주에 다녀왔기 때문이야.

(   )

8 이 기사에서 글쓴이의 가족에게 있었던 일이 아닌 것에 ×표를 하세요.

(1) 전주비빔밥을 먹었다.   (   )
(2) 바닷가의 절을 구경했다.   (   )

글쓰기

9 빈칸에 알맞은 낱말을 글에서 찾아 써 이 기사의 제목을 완성하세요.

• | ㅈ | ㅈ | 로 가족 여행 다녀오다

글쓰기

10 다음 가족 신문 기사를 읽고, 빈칸에 알맞은 낱말을 써 뒷부분에 올 생각이나 느낌을 완성하고 따라 쓰세요.

>   9월 20일 토요일은 엄마와 아빠의 열 번째 결혼기념일이었다. 자주 가는 식당에서 함께 저녁 식사를 하고, 동생과 내가 직접 쓴 편지도 드렸다.

4 주

 ## 똑똑한 하루 글쓰기 ✔️한권 끝!

글쓰기 공부 하느라 수고했어요.
교재를 꾸준히 잘 풀었는지 돌아보고 ◯표를 하세요.

약속한 사람 _____

첫째, 하루하루 빠짐없이 꾸준히 공부했나요?　　　　　　　예　　아니요

둘째, 하루 글쓰기 문제를 끝까지 다 풀었나요?　　　　　　예　　아니요

셋째, 또박또박 바르게 글씨를 썼나요?　　　　　　　　　예　　아니요

아쉽고 부족한 부분을 스스로 돌아보고,
다음 단계를 공부할 때에는 더 열심히 해 봐요!

그럼, 다음 책으로 고고!

앞선 생각으로
더 큰 미래를 제시하는 기업

서책형 교과서에서 디지털 교과서,
참고서를 넘어 빅데이터와 AI학습에 이르기까지
끝없는 변화와 혁신으로
대한민국 교육을 선도해 나갑니다.

milk T

닥터매쓰

geniA.

천재교육

똑똑한 하루 시/리/즈

✕ 쉽다!

10분이면 하루치 공부를 마칠 수 있는 커리큘럼으로, 아이들이 초등 학습에 쉽고 재미있게 접근할 수 있도록 구성하였습니다.

재미있다!

교과서는 물론 생활 속에서 쉽게 접할 수 있는 다양한 소재와 재미있는 게임 형식의 문제로 흥미로운 학습이 가능합니다.

📖 똑똑하다!

초등학생에게 꼭 필요한 학습 지식 습득은 물론 창의력 확장까지 가능한 교재로 올바른 공부습관을 가지는 데 도움을 줍니다.

과목	교재 구성	과목	교재 구성
하루 독해	예비초~6학년 각 A·B (14권)	하루 VOCA	3~6학년 각 A·B (8권)
하루 어휘	예비초~6학년 각 A·B (14권)	하루 Grammar	3~6학년 각 A·B (8권)
하루 글쓰기	예비초~6학년 각 A·B (14권)	하루 Reading	3~6학년 각 A·B (8권)
하루 한자	예비초: 예비초 A·B (2권) 1~6학년: 1A~4C (12권)	하루 Phonics	Starter A·B / 1A~3B (8권)
하루 수학	1~6학년 1·2학기 (12권)	하루 봄·여름·가을·겨울	1~2학년 각 2권 (8권)
하루 계산	예비초~6학년 각 A·B (14권)	하루 사회	3~6학년 1·2학기 (8권)
하루 도형	예비초~6학년 각 A·B (14권)	하루 과학	3~6학년 1·2학기 (8권)
하루 사고력	1~6학년 각 A·B (12권)	하루 안전	1~2학년 (2권)

※ 각 교재별 출간 시기는 조금씩 다르며, 일부 교재는 순차적으로 출시될 예정입니다.

기초
학습능력 강화
프로그램

똑 똑 한

하루
글쓰기

2 단계 B

1~2학년

정답 및 해설

천재교육

정답 및 해설
포인트 3가지

▶ 혼자서도 이해할 수 있는 친절한 문제 풀이

▶ 문제 해결에 도움을 주는 '더 알아보기'와
  틀린 부분을 짚어 주는 '왜 틀렸을까?'

▶ 예시 답안과 단계별 채점 기준 제시로
  실전 서술형 문항 완벽 대비

똑 똑 한

하루
글쓰기

2단계 B 1~2학년

정답 및 해설

10~11쪽 | 1주에는 무엇을 공부할까? ❷

1-1 (3) ×
1-2 글의 제목, 대상의 특징, 설명하는 대상
2-1 글봇   2-2 짧게

1-1 (3)은 편지글에서 주요 내용을 간추려 쓰는 방법입니다.

1-2 설명하는 글에서 주요 내용을 간추릴 때에는 제목, 설명하는 대상, 대상의 특징을 살펴봅니다.

2-1~2-2 메모는 다른 사람에게 말을 전하거나 자신이 기억한 것을 잊지 않으려고 짧게 쓴 글을 말합니다.

13쪽 | 똑똑한 하루 글쓰기 미리 보기

❶ 제 목 ❷ 특 징 ❸ 주 요

설	명	된	특
누	가	장	징
제	고	사	랑
목	밭	주	요

14~15쪽 | 똑똑한 하루 글쓰기

1 (1) 작은 물건을 크게 보고 싶을 때 돈 보 기 를 사용한다.
　(2) 돋보기를 사용할 때 잡는 곳이 손 잡 이 이다.
　(3) 물건을 크게 볼 수 있게 하는 것이 렌 즈 이다.
2 ❶ 작은 물건을 크 게 보 고 싶을 때 돈 보 기 를 사 용 한 다.
　❷ 돋보기를 사 용 할 때 잡 는 곳 이 손잡이이고, 물건을 크 게 볼 수 있게 하는 것이 렌 즈 이 다.
3 작은 물건을 크게 보고 싶을 때 ❶ 예 돋보기를 사용한다.

❷ 예 돋보기를 사용할 때 잡는 곳이 손잡이이고, 물건을 크게 볼 수 있게 하는 것이 렌즈이다.

1 (1) 우리는 작은 물건을 크게 보고 싶을 때 돋보기를 사용합니다.
　(2) 돋보기를 사용할 때 잡는 곳은 손잡이입니다.
　(3) 돋보기에서 물건을 크게 볼 수 있게 하는 것은 렌즈입니다.

2 **1**에서 쓴 내용을 두 문장으로 정리해서 씁니다.

3 **2**에서 쓴 문장을 넣어 주요 내용을 간추려 써 봅니다.

채점 기준

　돋보기를 설명하는 글에서 주요 내용을 잘 간추려 썼으면 정답입니다.

┌ 더 알아보기 ┐
글에서 주요 내용을 간추려 쓰면 좋은 점
• 글의 내용을 정확하게 이해할 수 있습니다.
• 나중에 글의 내용을 기억하기 쉽습니다.

16쪽 | 똑똑한 하루 글쓰기 받아쓰기

1 ❶ 엄 지 손 가 락
　❷ 감 싸 듯 이 ∨ 잡 습 니 다 .
2 ❶ 돋보기로 물 체 를 관찰했다.
　❷ 과 학 실 에서 큰 돋보기를 보았다.
3 렌 즈 의 ∨ 가 운 데 는 ∨ 볼 록 하 다 .

17쪽 | 똑똑한 하루 글쓰기 마무리

여	름	∨	제	철	∨	과	일	인	∨
수	박	,	포	도	,	복	숭	아	는	∨
우	리	∨	몸	을	∨	건	강	하	게	∨
한	다	.							

● 보기 에서 알맞은 말을 골라 빈칸에 넣어 주요 내용을 간추려 봅니다.

구분	답안 내용	
평가 기준	보기 에서 알맞은 말을 골라 문장의 빈칸에 넣어 주요 내용을 잘 간추려 썼습니다.	상
	빈칸에 들어갈 말을 모두 썼으나 맞춤법이 틀린 부분이 있습니다.	중
	빈칸에 들어갈 말을 일부 쓰지 못하였습니다.	하

2일

19쪽 · 똑똑한 하루 글쓰기 미리 보기

- 제목, - 글쓴이, - 까닭

20~21쪽 · 똑똑한 하루 글쓰기

1 일기 를 꼬박꼬박 잘 쓰자.
2 나의 모습을 반성할 수 있고, 글쓰기 실력 이 좋아진다.
3

일	기	를	∨	꼬	박	꼬	박	∨	
잘	∨	쓰	자	.	왜	냐	하	면	∨
나	의	∨	모	습	을	∨	반	성	할	∨
수	∨	있	고	,	∨	글	쓰	기	∨	실
력	이	∨	좋	아	지	기	∨	때	문
이	다	.							

1 그림에서 여자아이는 일기를 꼬박꼬박 잘 쓰자고 주장하고 있습니다.

2 글쓴이가 '일기를 꼬박꼬박 잘 쓰자.'라고 말한 까닭 두 가지를 정리하여 써 봅니다.

3 1과 2에서 쓴 문장을 넣어 주장하는 글에서 주요 내용을 간추려 써 봅니다.

주장하는 글에서 글쓴이가 하고 싶은 말과 그렇게 말한 까닭을 잘 간추려 썼으면 정답입니다.

22쪽 · 똑똑한 하루 글쓰기 받아쓰기

1 ❶

	하	루	∨	생	활	을	

❷

	귀	찮	을	∨	수	∨	있	지	만

2 ❶ 일기를 꾸 준 히 쓰자.

❷ 일기를 쓰면 좋 은 점이 많다.

3

	잠	들	기	∨	전	에	∨	일	기
를	∨	썼	다	.					

23쪽 · 똑똑한 하루 글쓰기 마무리

글쓴이가 하고 싶은 말	스마트폰 예 사용 시간을 줄이자.
글쓴이가 그렇게 말한 까닭	• 예 스마트폰을 오래 사용하면 눈 건강에 좋지 않다. • 스마트폰을 오래 사용하면 공부나 독서하는 시간이 줄어든다.

◉ 주장하는 글에서 글쓴이가 하고 싶은 말과 글쓴이가 그렇게 말한 까닭을 찾아 써 봅니다.

구분	답안 내용	
평가 기준	글쓴이가 하고 싶은 말과 글쓴이가 그렇게 말한 까닭을 맞춤법에 맞게 썼습니다.	상
	글쓴이가 하고 싶은 말과 글쓴이가 그렇게 말한 까닭을 썼지만 맞춤법이나 띄어쓰기가 틀린 부분이 있습니다.	중
	글쓴이가 하고 싶은 말과 글쓴이가 그렇게 말한 까닭 중 한 가지만 알맞게 썼습니다.	하

〔 더 알아보기 〕

주장하는 글

글쓴이가 어떤 대상에게 지니는 생각인 의견과 그 의견을 낸 까닭을 쓴 글입니다.

3일

누가

1 (1) 수탉은 아침마다 노래를 불러 사람들의 |잠|을 깨워 주었다.

(2) 하늘나라 임금님께 상으로 멋진 |볏|을 받았다.

2 ❶ 수탉은 아침마다 |노||래||를| |불||러| 사람들의 |잠||을| |깨||워| |주||었||다|.

❷ 하늘나라 임금님께 |상||으||로| |멋||진| |볏||을| |받||았||다|.

3 옛날, 하늘나라에 사는 수탉과 돼지는 하늘나라 임금님께 땅으로 내려가서 사람들을 도와주라는 말을 들었다. ❶ 예 수탉은 아침마다 노래를 불러 사람들의 잠을 깨워 주었다. 그래서 ❷ 예 하늘나라 임금님께 상으로 멋진 볏을 받았다.

1 (1) 그림에서 수탉은 노래를 불러 사람들의 잠을 깨워 주었습니다.

(2) 그림과 임금님의 말을 통해 수탉은 멋진 볏을 상으로 받았음을 알 수 있습니다.

2 1에서 일어난 일을 두 문장으로 정리하여 써 봅니다.

3 2에서 쓴 문장을 넣어 이야기의 주요 내용을 간추려 써 봅니다.

　채점 기준

이야기에서 주요 내용을 잘 간추려 썼으면 정답입니다.

1 ❶ 　내 V 코 V 멋 있 지 ?

❷ 　정 말 V 예 뻐 !

2 ❶ 사람들을 어 떻 게 도와주어야 할까?

❷ 사람들이 늦 잠 을 잤다.

3 　수 탉 은 V 아 침 마 다 V 노 래 를 V 불 렀 다 .

돼	지	는	V	게	으	름	을	V
피	워	서	V	하	늘	나	라	V	임
금	님	께	V	코	가	V	납	작	해
지	는	V	벌	을	V	받	았	다	.

○ 보기 의 말을 알맞게 넣어 이야기에서 주요 내용을 간추려 써 봅니다.

　채점 기준

구분	답안 내용	
평가 기준	보기 의 말을 넣어 주요 내용을 잘 간추려 썼습니다.	상
	빈칸에 들어갈 말을 썼으나 맞춤법이 틀린 부분이 있습니다.	중
	빈칸에 들어갈 말을 일부 쓰지 못했습니다.	하

　【 더 알아보기 】

이야기 「수탉과 돼지」에 나오는 인물의 마음 예

인물	마음
하늘나라 임금님	• 부지런한 수탉에게 상을 줄 때에는 기쁘고 즐거운 마음 • 게으른 돼지를 혼낼 때에는 화나고 괘씸한 마음
수탉	남을 도우려는 착한 마음
돼지	• 잘생긴 코를 뽐낼 때에는 잘난 척하는 마음 • 코가 납작해지는 벌을 받았을 때에는 후회하며 슬퍼하는 마음

4일

31쪽 똑똑한 하루 글쓰기 미리 보기

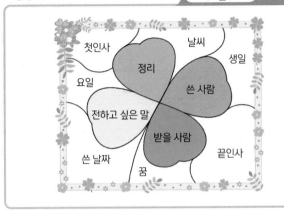

첫인사 / 날씨 / 생일 / 요일 / 정리 / 쓴 사람 / 전하고 싶은 말 / 받을 사람 / 쓴 날짜 / 꿈 / 끝인사

32~33쪽 똑똑한 하루 글쓰기

1 (1) 서윤이가 너무 보고 싶다.
　(2) 한 달 뒤에 캠핑을 가서 재미있게 놀고 싶다.
2 ❶ 서윤이가 너무 보고 싶다.
　❷ 한 달 뒤에 캠핑을 가서 재미있게 놀고 싶다.
3

	서	윤	이	가	V	너	무	V	보
고	V	싶	고	,		한	V	달	V	뒤
에	V	캠	핑	을	V	가	서	V	재
미	있	게	V	놀	고	V	싶	다	.

1 (1) 그림 속 여자아이의 생각을 통해 서윤이가 너무 보고 싶다는 것을 알 수 있습니다.
　(2) 그림 속 여자아이의 생각을 통해 캠핑을 가서 재미있게 놀고 싶은 마음을 알 수 있습니다.

2 **1**에서 쓴 말을 두 문장으로 정리하여 써 봅니다.

3 **2**에서 쓴 문장을 넣어 편지글에서 주요 내용을 간추려 써 봅니다.

채점 기준

　편지글에서 주요 내용을 잘 간추려 썼으면 정답입니다.

34쪽 똑똑한 하루 글쓰기 받아쓰기

1 ❶ 잘 V 지 내 고 V 있 지 ?
　❷ 손 꼽 아 V 기 다 리 고
2 ❶ 이사 간 지 벌 써 세 달이 되었구나.
　❷ 오래 떨 어 져 지내니 네가 너무 보고 싶어.
3 만 나 는 V 날 까 지 V 건
　강 하 게 V 잘 V 지 내 .

35쪽 똑똑한 하루 글쓰기 마무리

	희	수	에	게	V	화	를	V	내
서	V	미	안	하	고	V	희	수	와	V
화	해	하	고	V	싶	다	.

○ 문장의 흐름에 맞게 **보기** 에서 알맞은 말을 골라 주요 내용을 간추려 써 봅니다.

채점 기준

구분	답안 내용	
평가 기준	**보기** 의 말을 넣어 편지글에서 주요 내용을 잘 간추려 썼습니다.	상
	빈칸에 들어갈 말을 **보기** 에서 골라 썼으나 맞춤법이 틀린 부분이 있습니다.	중
	빈칸에 들어갈 말을 한 가지만 알맞게 썼습니다.	하

❰ 더 알아보기 ❱

편지글에 들어가야 하는 내용

• **받을 사람**: 처음에 누구에게 보내는 편지인지 씁니다.
• **첫인사**: 간단한 인사와 함께 상대가 잘 지내고 있는지 안부를 묻는 인사말을 씁니다.
• **전하고 싶은 말**: 편지를 쓴 까닭이 잘 드러나게 무슨 일 때문에 편지를 썼는지 분명하고 알기 쉽게 씁니다. 전하고 싶은 마음이 있을 때에는 일어난 일과 그 일에 대해 전하려는 마음을 씁니다.
• **끝인사**: 편지를 받을 사람이 잘 지내기를 바라는 말을 씁니다.
• **쓴 날짜**: 언제 쓴 편지인지 씁니다.
• **쓴 사람**: 마지막에 누가 쓴 편지인지 씁니다.

5일

37쪽 똑똑한 **하루 글쓰기** 미리 보기

❶ 내 용 ❷ 짧 게 ❸ 메 모

내	기	사	문
용	메	모	자
서	울	보	리
재	추	짧	게

38~39쪽 똑똑한 **하루 글쓰기**

1 (1) 9시까지 학교 운 동 장 으로 모이세요.

(2) 준비물은 도 시 락, 간식, 물, 모자, 돗자리예요.

2 ❶ • 모이는 시각과 장소: 9 시까지 학교 운 동 장 으로

❷ • 준 비 물: 도 시 락, 간식, 물, 모 자, 돗자리

3

소풍을 가기 전에 알아 둘 것

• 모이는 시각과 장소: ❶ 예 9시까지 학교 운동장으로

• 준비물: ❷ 예 도시락, 간식, 물, 모자, 돗자리

• 편한 복장

1 (1) 선생님께서는 9시에 학교 운동장에 모여 출발할 것이라고 하셨습니다.

(2) 선생님의 말씀을 통해 준비물은 '도시락, 간식, 물, 모자, 돗자리'라는 것을 알 수 있습니다.

2 1에서 쓴 말을 간단하게 메모해서 써 봅니다.

3 2에서 쓴 내용을 넣어 선생님의 말씀에서 중요한 내용을 메모해 봅니다.

채점 기준

소풍을 가기 전에 알아 둘 것을 중요한 내용을 중심으로 메모했다면 정답입니다.

더 알아보기

메모를 해 두면 좋은 점

시간이 흐른 뒤에도 보고 듣고 생각한 것을 다시 떠올리는 데 도움이 됩니다.

40쪽 똑똑한 **하루 글쓰기** 받아쓰기

1 ❶ 출 발 할 ∨ 거 예 요 .

❷ 편 한 ∨ 복 장 으 로

2 ❶ 메모를 하지 않아서 기 억 이 안 나요!

❷ 기찬이에게 물어보고 말 씀 드릴게요.

3 엄 마 , 내 일 ∨ 놀 이 동 산 으 로 ∨ 소 풍 을 ∨ 가 요 .

41쪽 똑똑한 **하루 글쓰기** 마무리

	할	머	니	께	서	∨	내	일	∨
오	후	∨	2	시	∨	30	분	에	∨
서	울	역	에	∨	도	착	하	심	.

◎ 할머니께서 말씀하신 부분에서 중요한 내용을 간추려 메모해 봅니다.

채점 기준

구분	답안 내용	
평가 기준	할머니께서 말씀하신 부분에서 중요한 내용을 간추려서 맞춤법이나 띄어쓰기에 맞게 잘 썼습니다.	상
	할머니께서 말씀하신 부분에서 중요한 내용을 간추려 썼으나 맞춤법이나 띄어쓰기가 틀린 부분이 있습니다.	중
	할머니께서 말씀하신 부분에서 중요한 내용을 일부 쓰지 못하였습니다.	하

더 알아보기

메모가 필요한 까닭

• 한꺼번에 많은 내용을 들으면 오래 기억하지 못하기 때문입니다.

• 나중에 기억하기 위해서입니다.

• 중요한 내용을 표시해 두기 위해서입니다.

특강

똑똑한 하루 창의·융합·코딩

43쪽

"뱁새가 황새를 따라가면 다리가 찢어진다"라는 말처럼 운동부인 친구를 따라 운동을 무리해서 했다가 몸살이 났다.

44쪽

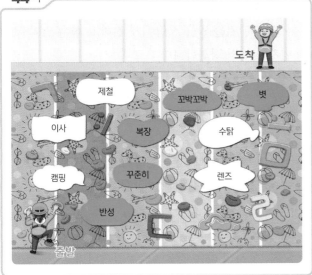

○ '자신의 말과 행동에 대하여 잘못이나 부족함이 없는지 돌이켜 봄.'이라는 뜻의 낱말은 '반성', '한결같이 부지런하고 끈기가 있는 태도로.'라는 뜻의 낱말은 '꾸준히', '옷을 차려입은 모양.'이라는 뜻의 낱말은 '복장', '조금도 어김없이 고대로 계속하는 모양.'이라는 뜻의 낱말은 '꼬박꼬박', '닭이나 새 따위의 이마 위에 세로로 붙은 살 조각.'이라는 뜻의 낱말은 '볏'입니다.

【 왜 틀렸을까? 】

• **제철**: 알맞은 시기나 때.

• **이사**: 사는 곳을 다른 데로 옮김.

• **캠핑**: 산이나 들 또는 바닷가 따위에서 텐트를 치고 야영함. 또는 그런 생활.

• **수탉**: 닭의 수컷.

• **렌즈**: 유리나 수정을 볼록하거나 오목하게 깎아서 물체가 크거나 작게 보이도록 만든 물건.

45쪽

○ 수탉이 늦잠을 자고 있는 사람들을 모두 깨워 주려면 오른쪽으로 1칸, 아래쪽으로 3칸, 또 오른쪽으로 2칸을 움직여야 합니다.

46쪽

○ 북두칠성 별자리를 번호 순서대로 연결하면 국자 모양이 됩니다.

47쪽

○ 그림을 보고 숨은 그림 다섯 가지를 찾아봅니다.

48~49쪽

1 (2) ○　　　　　　　2 돋보기

3 작은 물건을 크게 보고 싶을 때 돋보기를 사용한다. / 돋보기를 사용할 때 잡는 곳이 |손||잡||이|이고, 물건을 크게 볼 수 있게 하는 것이 |렌||즈|이다.

4 유정　　　　　　　5 (1) ○

6 (2) ○　　　　　　　7 늦잠

8 편지를 쓴 사람이 편지를 받을 사람에게 |전||하||고||싶||은| |말|이 무엇인지 찾아서 정리한다.

9 (1) × (2) ○

10 준비물: |도||시||락|, 간식, 물, 모자, |돗||자||리|

---

1 글에서 주요 내용이란 글의 뼈대가 되는 중요한 내용을 말합니다.

2 제목과 글의 내용을 통해 돋보기에 대해 설명하는 글임을 알 수 있습니다.

《 더 알아보기 》

망원경: 두 개 이상의 볼록 렌즈를 맞추어서 멀리 있는 물체 따위를 크고 정확하게 보도록 만든 장치.

3 설명하는 글에서 주요 내용을 간추릴 때에는 제목을 확인하고, 설명하는 대상이 무엇인지 알아봅니다. 그리고 어떤 특징을 설명하는지 찾아서 정리해야 합니다.

4 이 글에서 글쓴이가 하고 싶은 말은 '일기를 꼬박꼬박 잘 쓰자.'입니다.

5 글쓴이는 일기를 꼬박꼬박 잘 쓰면 글쓰기 실력이 좋아진다고 하였습니다.

6 임금님의 말과 그림을 통해 돼지는 게으름을 피워서 하늘나라 임금님께 코가 납작해지는 벌을 받았다는 사실을 알 수 있습니다.

《 왜 틀렸을까? 》

　(1) 사람들을 도와주어서 하늘나라 임금님께 상으로 멋진 볏을 받은 인물은 수탉입니다.

7 '사람들이 느짬을 잤다.'를 '사람들이 늦잠을 잤다.'로 고쳐 써야 합니다.

8 편지글에서 주요 내용을 간추려 쓸 때에는 편지를 쓴 사람이 편지를 받을 사람에게 전하고 싶은 말이 무엇인지 찾아서 정리합니다.

9 메모를 할 때에는 중요한 내용을 쓰고, 중요한 낱말을 중심으로 짧게 써야 합니다.

《 왜 틀렸을까? 》

　(1) 메모를 할 때 모든 내용을 다 쓸 수 없으므로 중요한 내용을 중심으로 간단하게 써야 합니다.

10 선생님의 말씀을 통해 준비물은 '도시락, 간식, 물, 모자, 돗자리'라는 것을 알 수 있습니다.

한 주 동안
수고했어요!

52~53쪽　2주에는 무엇을 공부할까? ❷

1-1 (2) ×	1-2 특 징
2-1 (2) ○	2-2 다섯 문장

1-1 사람을 소개하는 글은 자신이나 다른 사람에 대한 정보를 남에게 알려 주는 글입니다. 사람을 소개하는 글을 쓸 때에는 소개하는 사람의 특징이 잘 드러나도록 써야 합니다.

[왜 틀렸을까?]
　안부나 소식을 알리기 위하여 적어 보내는 글은 편지입니다.

1-2 글쓴이는 이름, 성별, 모습, 좋아하는 것과 같이 기찬이의 특징이 잘 드러나도록 사람을 소개하는 글을 썼습니다.

2-1~2-2 '누구일까요' 놀이는 소개하는 사람의 특징이 잘 드러나도록 다섯 문장으로 소개하는 놀이입니다.

55쪽　똑똑한 하루 글쓰기 미리 보기

❶ 정 보
❷ 특 징
❸ 모 습

56~57쪽　똑똑한 하루 글쓰기

1 (1) 여 자 아이이다.
　(2) 기 다 란 머리이고, 안 경 을 썼다.
2 ❶ 내 동생의 이름은 이수진이고, 여 자 아 이 야 .
　❷ 기 다 란 머 리 이고, 안 경 을 썼어.
3 내 동생의 이름은 이수진이고, ❶ 예 여자아이야. ❷ 예 기다란 머리이고, 안경을 썼어.

---

1 (1) 수영이 동생은 여자아이입니다.
　(2) 그림 속 수영이 동생은 기다란 머리를 하고 안경을 쓰고 있습니다.

2 **1**에서 쓴 수영이 동생의 특징을 두 문장으로 써 봅니다.

3 **2**에서 쓴 문장을 넣어 수영이 동생을 소개하는 글을 써 봅니다.

채점 기준
　수영이 동생의 이름, 성별, 모습을 소개하는 글을 맞춤법과 띄어쓰기에 맞게 잘 썼으면 정답입니다.

58쪽　똑똑한 하루 글쓰기 받아쓰기

1 ❶ | 너 | 무 | 너 | 무 | ∨ | 부 | 럽 | 대 | 요 | . |
2 ❷ | | 야 | 단 | 이 | 지 | ∨ | 뭐 | 예 | 요 | . |
2 ❶ 언니는 얼굴이 | 갸 | 름 | 하 | 다 | . |
2 ❷ 희진이는 눈에 | 쌍 | 꺼 | 풀 | 이 있다. |
3 | | 짝 | 꿍 | 은 | ∨ | 머 | 리 | 가 | ∨ | 짧 |
| 고 | ∨ | 갈 | 색 | 이 | 다 | . | | | |

59쪽　똑똑한 하루 글쓰기 마무리

❶ 예 이름은 최성우입니다.
　남자아이입니다.
　눈썹이 진하고, 얼굴이 길쭉합니다.
❷ 예 이름은 황안나입니다.
　여자아이입니다.
　피부가 하얗고, 머리는 노란색입니다.

○ 그림 속 친구의 이름, 성별, 모습을 알맞게 소개해 봅니다. 모습의 경우 ❶에서 '짧은 갈색 머리이고, 턱이 둥급니다.'나 ❷에서 '눈동자가 초록색이고, 머리를 땋고 다닙니다.'와 같이 친구의 생김새에 알맞은 소개이면 모두 답이 될 수 있습니다.

구분	답안 내용	
평가 기준	그림 속 친구의 이름, 성별, 모습을 모두 알맞게 소개하였습니다.	상
	그림 속 친구의 이름, 성별, 모습 중 두 가지만 알맞게 소개하였습니다.	중
	그림 속 친구의 이름, 성별, 모습 중 한 가지만 알맞게 소개하였습니다.	하

2일

61쪽 똑똑한 하루 글쓰기 미리 보기

⬤ – 성 격 , ⬤ – 좋 아 하 는 것 ,

⬤ – 취 미

62~63쪽 똑똑한 하루 글쓰기

1 (1) 겁 이 많은 성격이다.

(2) 도 넛 을 좋아한다.

(3) 만 화 영화를 보는 것이 취미이다.

2 ❶ 성우는 겁 이 많 은 성격이고, 도 넛 을 좋 아 해요.

❷ 만 화 영 화 를 보 는 것이 취미예요.

3

성	우	는	V	겁	이	V	많	은	V
성	격	이	고	,		도	넛	을	V	좋
아	해	요	.		만	화	V	영	화	를	V
보	는	V	것	이	V	취	미	예	요	.

1 (1) 성우는 겁이 많다고 하였습니다.

(2) 성우는 도넛을 매일 먹고 싶을 만큼 좋아합니다.

(3) 성우는 만화 영화를 즐겨 봅니다.

2 1에서 쓴 성우의 특징을 두 문장으로 써 봅니다.

3 2에서 쓴 문장을 넣어 성우를 소개하는 글을 써 봅니다.

성우의 성격, 좋아하는 것, 취미를 소개하는 글을 맞춤법과 띄어쓰기에 맞게 잘 썼으면 정답입니다.

(더 알아보기)

성격은 각 사람이 가지고 있는 그 사람만의 성질이나 품성을 이야기합니다. '급하다, 조심스럽다, 활발하다, 정의롭다' 등 성격을 나타내는 다양한 말이 있습니다.

64쪽 똑똑한 하루 글쓰기 받아쓰기

1 ❶

	엄	청	V	좋	아	하	잖	아	.

❷

	내	V	유	일	한	V	취	미	야	.

2 ❶ 우리 반 선생님께서는 상 냥 한 성격이시다.

❷ 형은 팥 빙 수 를 매우 좋아한다.

3

	동	생	은	V	피	아	노	V	연
주	가	V	취	미	이	다	.		

65쪽 똑똑한 하루 글쓰기 마무리

❶

	장	난	기	가	V	많
은	V	성	격	이	다	.

❷

	바	나	나	를	V	좋
아	한	다	.			

❸

	축	구	하	는	V	것
이	V	취	미	이	다	.

⬤ 그림을 보고, 벼루의 성격, 좋아하는 것, 취미를 알맞게 소개해 봅니다.

구분	답안 내용	
평가 기준	벼루의 성격, 좋아하는 것, 취미를 모두 알맞게 소개하였습니다.	상
	벼루의 성격, 좋아하는 것, 취미 중 두 가지만 알맞게 소개하였습니다.	중
	벼루의 성격, 좋아하는 것, 취미 중 한 가지만 알맞게 소개하였습니다.	하

일

67쪽 하루 글쓰기 미리 보기

나는 요리를 잘해요.

미래에 맛있는 음식을 만드는 요리사가 되고 싶어요.

장래 희망

잘하는 것

68~69쪽 하루 글쓰기

1 (1) 나는 수 학 을 잘한다.

(2) 내 장래 희망은 수학을 가르치는 수학 선 생 님 이다.

2 ❶ 나는 수 학 을 잘해.

❷ 내 장래 희망은 수학을 가 르 치 는 수 학 선 생 님 이야.

3

나	는	∨	수	학	을	∨	잘	해	.
내	∨	장	래	∨	희	망	은	∨	수
학	을	∨	가	르	치	는	∨	수	학
선	생	님	이	야	.				

1 (1) 성진이가 잘하는 것은 수학입니다.

(2) 성진이는 수학을 가르치는 수학 선생님이 되고 싶어 합니다.

2 **1**에서 쓴 성진이의 특징을 두 문장으로 써 봅니다.

3 **2**에서 쓴 문장을 넣어 성진이가 자신을 소개하는 글을 써 봅니다.

채점 기준

성진이가 잘하는 것, 성진이의 장래 희망을 소개하는 글을 맞춤법과 띄어쓰기에 맞게 썼으면 정답입니다.

70쪽 하루 글쓰기 받아쓰기

1 ❶ 글 짓 기 를 ∨ 잘 해 .

❷ 가 수 가 ∨ 되 고 ∨ 싶 어 .

2 ❶ 내 친구는 배 드 민 턴 을 잘 친다.

❷ 우리 할머니는 꽃 꽂 이 를 참 잘하신다.

3

| 경 | 찰 | 관 | 이 | ∨ | 되 | 어 | ∨ | 사 |
| 람 | 들 | 을 | ∨ | 지 | 키 | 고 | ∨ | 싶 | 다 | . |

71쪽 하루 글쓰기 마무리

저는 잘하는 것과 장래 희망을 소개하려고 합니다. 저는 **❶** 만 들 기 를 잘 합 니 다 . 특히 블록을 이용해서 자동차나 로봇을 잘 만듭니다. 미래에 저는 **❷** 로 봇 공 학 자 가 되 고 싶 습 니 다 . 로봇을 만들어 사람들을 더 편하게 해 주고 싶기 때문입니다.

◉ 민희의 말을 읽고, 잘하는 것과 장래 희망을 알맞게 소개해 봅니다.

채점 기준

구분	답안 내용	
평가 기준	민희가 잘하는 것과 민희의 장래 희망을 빈칸에 알맞게 써넣었습니다.	상
	민희가 잘하는 것과 민희의 장래 희망을 빈칸에 써넣었지만 틀린 글자가 있습니다.	중
	민희가 잘하는 것과 민희의 장래 희망 중 한 가지만 빈칸에 알맞게 써넣었습니다.	하

{ 더 알아보기 }

로봇 공학자는 어떤 직업일까?

로봇 공학자는 여러 가지 기계나 기술들을 연구하고 개발해서 로봇을 만들어 내는 일을 해요. 의사의 수술을 돕는 로봇, 탐사 로봇, 인공 지능을 갖추어 사람처럼 행동하고 말할 수 있는 로봇 등 여러 가지 로봇들이 모두 로봇 공학자들의 연구 대상이에요.

4일

73쪽 — 똑똑한 하루 글쓰기 미리 보기

😎 - 다섯, 🐼 - 특징, 🤖 - 소개

74~75쪽 — 똑똑한 하루 글쓰기

1 (1) 수 염 을 길게 늘어뜨린 모습이다.

(2) 마음이 넓 고 지혜로운 성격이다.

2 ❶ 예 수염을 길게 늘어뜨린 모습입니다.

❷ 예 마음이 넓고 지혜로운 성격입니다.

1 (1) 산신령은 수염을 길게 늘어뜨린 모습을 하고 있습니다.

(2) 나무꾼에게 쇠도끼를 찾아 주고, 나무꾼의 정직함을 시험하여 상으로 금도끼와 은도끼를 준 것으로 보아 마음이 넓고 지혜로운 성격입니다.

【 더 알아보기 】

「금도끼 은도끼」의 뒷이야기와 교훈

착한 나무꾼의 소식을 들은 욕심 많은 나무꾼은 일부러 자신의 쇠도끼를 연못에 빠뜨립니다. 그리고는 산신령에게 금도끼와 은도끼가 제 것이라 거짓말을 하지요. 화가 난 산신령은 어떠한 도끼도 주지 않고 그대로 사라져 버립니다.

이 이야기는 거짓말하지 말고 정직하게 살아야 복을 받는다는 교훈을 줍니다.

2 1에서 답한 산신령의 특징을 넣어 '누구일까요' 놀이를 완성해 봅니다.

채점 기준

「금도끼 은도끼」에 나오는 산신령의 특징을 맞춤법과 띄어쓰기에 맞게 썼으면 정답입니다.

【 더 알아보기 】

책 속 인물을 소개할 때에는 인물의 복장이나 한 일도 특징으로 소개할 수 있습니다.

76쪽 — 똑똑한 하루 글쓰기 받아쓰기

1 ❶ 　연 못 에 V 빠 뜨 렸 어 요 .

❷ 　부 자 가 V 되 었 답 니 다 .

2 ❶ 흥부는 밥을 못 먹어 삐쩍 말 랐 다 .

❷ 팥죽 할머니는 머리가 허옇게 세 었 다 .

3 　콩 쥐 는 V 부 지 런 하 고 V 성 실 한 V 성 격 이 다 .

77쪽 — 똑똑한 하루 글쓰기 마무리

❶ 예 낡은 옷을 입은 모습입니다.

❷ 예 착하고 정직한 성격입니다.

❸ 예 나무를 베는 일을 하는 사람입니다.

◎ 친구들의 대화를 읽고, 「금도끼 은도끼」에 나오는 나무꾼의 특징을 알맞게 소개해 봅니다.

채점 기준

구분	답안 내용	
평가 기준	❶~❸에 나무꾼의 특징을 소개하는 글을 모두 알맞게 썼습니다.	상
	❶~❸ 중 두 곳에만 나무꾼의 특징을 소개하는 글을 알맞게 썼습니다.	중
	❶~❸ 중 한 곳에만 나무꾼의 특징을 소개하는 글을 알맞게 썼습니다.	하

5일

79쪽 — 똑똑한 하루 글쓰기 미리 보기

❶ 특 징

❷ 성 격

❸ 궁 금

80~81쪽 똑똑한 하루 글쓰기

1 (1) 내 친구 이름은 정주영이고, 여 자 아이예요.

(2) 피부가 까 맣 고 , 코 위에 점 이 있어요.

2 주영이는 성 격 이 털 털 하고, 고 양 이 를
좋 아 해 요 .

3 주영이는 예 달리기를 잘해요. 그래서 장래 희망도 달리
기 선수래요.

1 (1) 친구의 이름은 정주영이고, 여자아이라고 하였
습니다.

(2) 피부가 까맣고, 코 위의 점이 눈에 띈다고 하였습
니다.

2 주영이는 성격이 털털하고 고양이를 좋아합니다.

3 주영이가 잘하는 것과 주영이의 장래 희망을 소개하
는 내용을 알맞게 써 봅니다.

> **채점 기준**
>
> 주영이가 잘하는 것과 주영이의 장래 희망을 소개하는
> 내용을 맞춤법과 띄어쓰기에 맞게 썼으면 정답입니다.

> **{ 더 알아보기 }**
>
> 소개하는 글을 쓸 때에는 상대방이 궁금해할 특징을 소
> 개해야 합니다. 상대방이 이미 알고 있는 특징은 소개할
> 필요가 없겠지요. 그러므로 상대방이 누구인지에 따라서
> 소개하는 사람의 어떤 특징을 소개할지도 달라진답니다.

82쪽 똑똑한 하루 글쓰기 받아쓰기

1 ❶ 햇 볕 에 V 탄 V 듯

❷ 히 죽 히 죽 V 웃 는 다 .

2 ❶ 경진이는 주 근 깨 가 있다.

❷ 진서는 조 용 한 성격이다.

3 선 주 는 V 연 예 인 이 V
되 고 V 싶 어 V 한 다 .

83쪽 똑똑한 하루 글쓰기 마무리

예 저의 가장 친한 친구는 임유빈입니다. 유빈이는
피부가 하얗고, 키가 큽니다. 유빈이는 성격이 꼼꼼
해서 친구들을 잘 챙겨 줍니다. 유빈이가 좋아하는
것은 귤인데 일주일이면 한 박스를 다 먹을 수 있
다고 합니다. 유빈이는 만화를 그리는 것이 취미입
니다. 그림을 정말 잘 그리는데 나중에 커서 재미
있는 만화를 그리는 만화가가 되고 싶다고 합니다.

예 저의 가장 친한 친구는 장현수입니다. 현수는 저
와 같은 여자아이입니다. 현수는 활발한 성격인데,
웃긴 이야기를 잘해서 저를 항상 재미있게 해 줍니
다. 현수는 취미가 스케이트를 타는 것이기 때문인
지 계절 중에 겨울을 가장 좋아합니다. 현수는 커
서 스케이트 선수가 되고 싶다고 합니다.

예 저의 가장 친한 친구는 제 짝인 이정우입니다.
정우는 부끄러움이 많아서 평소에는 조용한 성격
으로 보이지만 친해지고 나면 말이 많아집니다. 정
우는 글을 정말 잘 씁니다. 정우가 쓴 소설을 읽어
본 적이 있는데 정말 재미있었습니다. 정우는 빵을
정말 좋아해서 집에서 만들어 먹기도 한다는데 커
서는 제빵사가 되고 싶다고 합니다.

◎ 자신의 친구를 잘 소개할 수 있는 여러 가지 특징을
골라 친구의 특징이 잘 드러나도록 친구를 소개하는
글을 써 봅니다.

채점 기준

구분	답안 내용	
평가 기준	소개할 친구의 특징을 떠올려서 특징이 잘 드러나도록 친구를 소개하는 글을 썼습니다.	상
	소개할 친구의 특징을 떠올려서 특징이 잘 드러나도록 친구를 소개하는 글을 썼지만 어색한 표현이 있습니다.	중
	소개할 친구의 특징을 떠올려서 소개하는 글을 썼지만 친구의 특징이 잘 드러나 있지 않습니다.	하

특강 〈똑똑한 하루〉 **창의·융합·코딩**

85쪽

"사 공 이 많 으 면 배 가 산 으 로 간 다"고 하더니, 회의를 오늘 안에 끝낼 수 있을지 모르겠다.

86쪽

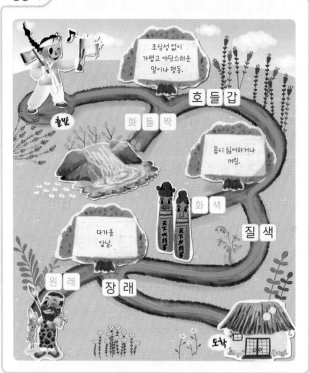

○ '조심성 없이 가볍고 야단스러운 말이나 행동.'이라는 뜻의 낱말은 '호들갑', '몹시 싫어하거나 꺼림.'이라는 뜻의 낱말은 '질색', '다가올 앞날.'이라는 뜻의 낱말은 '장래'입니다.

(왜 틀렸을까?)

• **화들짝**: 별안간 호들갑스럽게 펄쩍 뛸 듯이 놀라는 모양. 예 툭 쳤더니 그는 화들짝 놀라며 돌아봤다.

• **화색**: 얼굴에 드러나는 온화하고 환한 빛.
  예 도착 소식에 그의 얼굴에는 화색이 돌았다.

• **원래**: 사물이 전하여 내려온 그 처음.
  예 저 사람은 원래부터 욕심이 많은 사람이다.

87쪽

 (1)○ (3)○

○ 도형으로 그린 동생의 얼굴에 삼각형은 사용되지 않았습니다. 사용된 도형은 원과 사각형입니다.

88쪽

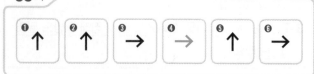

○ '누구일까요' 놀이의 답인 백설 공주에게 도착하려면 다음과 같이 화살표를 따라 움직이면 됩니다.

89쪽

○ 친구를 소개하는 글을 읽어 보고, 소개된 특징에 맞는 친구를 찾아봅니다.

90~91쪽

1 (3) ○   **2** (1) ② (2) ①

3 단 발 머리이고, 턱이 뾰 족 하다.

4 설아

5

동	생	은	V	피
아	노	V	연	주	가	V
취	미	이	다	.

6 팥빙수   **7** 달래는 노 래 를 잘한다.

8 장래 희망   **9** (2) ○

10 내 친구 이름은 정주영이고, 여자아이예요. 피부가 까 맣 고 , 코 위에 점이 있어요. 주영이는 성격이 털털하고, 고 양 이 를 좋아해요. 주영이는 달리기를 잘해요. 그래서 장래 희망도 달리기 선수래요.

1 자신이나 다른 사람에 대한 정보를 남에게 알려 주는 글은 사람을 소개하는 글입니다. 사람을 소개하는 글을 쓸 때에는 소개하는 사람의 특징이 잘 드러나도록 써야 합니다.

2 '이수진'은 이름, '여자'는 성별이므로 '내 동생의 이름은 이수진이다.', '여자아이이다.'와 같이 문장이 연결되는 것이 알맞습니다.

3 그림 속 아이는 단발머리이고, 턱이 뾰족합니다.

(왜 틀렸을까?)

곱슬머리는 고불고불하게 말려 있는 머리털을 말합니다. 그림 속 여자아이는 귀밑이나 목덜미 언저리에서 머리털을 가지런히 자른 머리인 단발머리를 하고 있습니다.

4 벼루가 여자아이에게 방귀를 뀌며 장난을 치고 있으므로 벼루는 장난기가 많은 성격입니다.

(더 알아보기)

• **장난기**: 장난이 섞인 기운.

㉔ 내 짝은 장난기가 심해서 자주 혼난다.

• **수줍음**: 숫기가 없어 다른 사람 앞에서 말이나 행동을 하는 것이 어렵거나 부끄러운 느낌이나 마음.

㉔ 그 아이는 수줍음이 많아 얼굴이 빨개졌다.

5 그림에서 아이는 피아노를 연주하고 있습니다.

6 '팥빙수'는 [팓삥수]로 소리가 나지만 적을 때에는 '팥빙수'로 적어야 합니다. 받침을 'ㅅ'이나 'ㄷ'으로 적지 않도록 주의합니다.

7 달래는 '나는 노래를 잘해.'라고 하였으므로 빈칸에 들어갈 말은 '노래'입니다.

8 '미래에 저는 로봇 공학자가 되고 싶습니다.'라고 이야기하고 있으므로 장래 희망에 대한 소개입니다.

9 성별이 남자이고, 수염을 길게 늘어뜨린 모습이고, 마음이 넓고 지혜로운 성격이고, 연못에서 나타났고, 나무꾼에게 도끼를 찾아 준 사람은 「금도끼 은도끼」에 나오는 산신령입니다.

10 그림 속 아이는 피부가 까맣고, 고양이와 놀아 주고 있습니다. 따라서 보기 에서 아이의 피부에 어울리는 말은 '까맣고'이고, 좋아하는 것에 어울리는 말은 '고양이'입니다.

(더 알아보기)

소개하는 사람의 특징 소개하기

사람을 소개할 때에는 그 사람의 특징을 소개합니다. 문제의 글에서는 이름, 성별, 모습, 성격, 좋아하는 것, 잘하는 것, 장래 희망을 소개하고 있습니다. 이외에도 취미, 가족 관계, 사는 곳과 같이 여러 특징들을 소개해 볼 수 있습니다.

한 주 동안 수고했어요~!

94~95쪽   3주에는 무엇을 공부할까? ❷

1-1 칭찬하는 글   1-2 좋은 점
2-1 까닭   2-2 칭찬하고 싶은 까닭

1-1~1-2 칭찬하는 글은 어떤 사람의 좋은 점이나 그 사람이 잘하는 것을 찾아 여러 사람에게 알리거나 그 사람에게 전달하기 위하여 쓰는 글입니다.

2-1 칭찬 상장에는 상을 받는 사람, 칭찬하고 싶은 점, 칭찬하고 싶은 까닭, 상을 주는 사람을 써야 합니다.

2-2 '선생님 덕분에 우리가 학교에서 열심히 공부하며 잘 지낼 수 있기에 이 칭찬 상장으로 고마운 마음을 전합니다.'는 칭찬하고 싶은 까닭에 해당합니다.

97쪽   똑똑한 하루 글쓰기 미리 보기

❶ 잘 하 는
❷ 느 낌
❸ 칭 찬

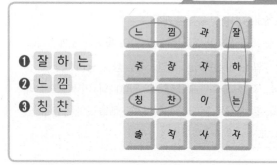

98~99쪽   똑똑한 하루 글쓰기

1 (1) 희수야, 너는 축 구 를 정말 잘하는구나.
　(2) 커서 분명 멋진 축구 선 수 가 될 거야.
2 ❶ 희수야, 너는 축 구 를 정 말 잘하는구나.
　❷ 커서 분명 멋 진 축 구 선 수 가 될 거 야 .
3

	희	수	야	,		너	는	V	축	구
를	V	정	말	V	잘	하	는	구	나	.
커	서	V	분	명	V	멋	진	V	축	
구	V	선	수	가	V	될	V	거	야	.

1 (1) 친구가 '희수는 축구를 잘해.'라고 말하고 있습니다.
　(2) 친구는 희수가 커서 멋진 축구 선수가 될 것이라고 말하고 있습니다.

2 **1**에서 쓴 칭찬하는 말을 두 문장으로 정리해서 씁니다.

3 **2**에서 쓴 문장을 차례대로 넣어 친구가 잘하는 점에 대해 칭찬하는 글을 완성해 봅니다.

> **채점 기준**
>
> 친구가 잘하는 점이 드러나게 칭찬하는 글을 잘 썼으면 정답입니다.

{ **더 알아보기** }

칭찬하는 글을 읽었을 때의 기분 예
• 기분이 좋고, 더 잘하고 싶은 생각이 듭니다.
• 더 열심히 해야겠다는 생각이 듭니다.

100쪽   똑똑한 하루 글쓰기 받아쓰기

1 ❶

골	을	V	넣	었	어	!			

❷

우	리	V	반	이	V	이	겼	어	!

2 ❶ 하니는 글 쓰 기 를 잘한다.
　❷ 지수는 줄 넘 기 를 잘한다.

3

	수	혁	이	는	V	수	영	을	V
잘	한	다	.						

101쪽   똑똑한 하루 글쓰기 마무리

	내	V	친	구	V	서	윤	이	는	V
인	사	를	V	잘	합	니	다	.		웃
어	른	을	V	만	나	면	V	항	상	V
"	안	녕	하	세	요	.	"	V	하	고	V
바	르	게	V	인	사	를	V	합	니
다	.		나	도	V	예	의	가	V	바
른	V	모	습	을	V	본	받	고	V
싶	습	니	다	.					

● 그림을 보고 빈칸에 알맞은 말을 넣어 칭찬하는 글을 완성해 봅니다.

채점 기준

구분	답안 내용	
평가 기준	그림을 보고 빈칸에 들어갈 말을 모두 알맞게 썼습니다.	상
	빈칸에 들어갈 말을 썼으나 맞춤법이 틀린 부분이 있습니다.	중
	빈칸에 들어갈 말을 일부 쓰지 못하였습니다.	하

2일

103쪽 똑똑한 하루 글쓰기 미리 보기

 – 열 심 히 , （웃는 얼굴） – 생 각 ,

（안경 쓴 얼굴） – 노 력

104~105쪽 똑똑한 하루 글쓰기

1 (1) 세준아, 매일 줄 넘 기 연습을 열심히 하더니 잘하게 되었구나.

(2) 네가 정말 멋 있 어 보여.

2 ❶ 세준아, 매일 줄 넘 기 연 습 을 열 심 히 하더니 잘하게 되었구나.

❷ 네가 정말 멋 있 어 보 여 .

3

세	준	아	,		매	일	∨	줄	넘
기	∨	연	습	을	∨	열	심	히	∨
하	더	니	∨	잘	하	게	∨	되	었
구	나	.	네	가	∨	정	말	∨	멋
있	어	∨	보	여	.				

1 (1) 여자아이의 말을 통해 매일 줄넘기 연습을 열심히 해서 잘하게 된 것을 알 수 있습니다.

(2) 여자아이는 '정말 멋있어.'라고 말하였습니다.

2 **1**에서 쓴 칭찬하는 말을 두 문장으로 정리해서 씁니다.

3 **2**에서 쓴 문장을 차례대로 넣어 친구가 열심히 하거나 노력하는 점에 대해 칭찬하는 글을 완성해 봅니다.

채점 기준

친구가 열심히 하거나 노력하는 점이 드러나게 칭찬하는 글을 잘 썼으면 정답입니다.

106쪽 똑똑한 하루 글쓰기 받아쓰기

1 ❶

	체	육	∨	시	간	에		

❷

	꾸	준	히	∨	연	습	하	면

2 ❶ 매일 숙제를 성 실 하게 해 오는구나.

❷ 노래를 열심히 연습해서 실 력 이 많이 좋아졌구나.

3

	책	을	∨	빼	먹	지	∨	않	고	∨
열	심	히	∨	읽	는	구	나	.		

107쪽 똑똑한 하루 글쓰기 마무리

예 수혁아, 젓가락질 연습을 열심히 하더니 젓가락질을 잘하게 되었구나. 네가 대단해 보여.

예 수혁아, 젓가락질 연습을 열심히 하더니 젓가락질을 잘하게 되었구나. 나도 젓가락질을 잘하고 싶어.

예 수혁아, 젓가락질 연습을 열심히 하더니 젓가락질을 잘하게 되었구나. 나도 오늘부터 젓가락질 연습을 열심히 해야겠어.

● 보기 에서 마음에 드는 말을 골라 써 봅니다.

채점 기준

구분	답안 내용	
평가 기준	보기 중 한 가지를 골라 맞춤법과 띄어쓰기에 맞게 썼습니다.	상
	보기 중 한 가지를 골라 썼지만 맞춤법이나 띄어쓰기가 틀린 부분이 있습니다.	중
	칭찬하는 내용과 관련 없는 생각이나 느낌을 썼습니다.	하

3일

109쪽

네 덕분에 청소가 빨리 끝나서 기분이 좋았어.

자신의 생각이나 느낌

고마웠던 점

교실 청소하는 것을 도와주어서 고마워.

110~111쪽

1 (1) 미술 시간에 │준│비│물│을 가져오지 않았어.

   (2) 나에게 │찰│흙│을 나누어 주어서 정말 고마워.

2 미술 시간에 │준│비│물│을│가│져│오│지│ 않았는데 나에게 │찰│흙│을│나│누│어│주│어│서│ 정말 고마워.

3 │ 지수야, ㉠ 미술 시간에 준비물을 가져오지 않았는데 나에게 찰흙을 나누어 주어서 정말 고마워.
   네 덕분에 선생님께 혼나지 않고 미술 수업을 잘 받을 수 있어서 너무 다행이었어. │

1 (1) 여자아이는 미술 시간에 준비물인 찰흙을 가져오지 않았습니다.

   (2) 짝꿍인 지수가 찰흙을 나누어 주자 여자아이는 고마운 마음이 들었을 것입니다.

2 **1**에서 쓴 내용을 한 문장으로 다시 써 봅니다.

3 **2**에서 쓴 문장을 넣어 친구에게 고마웠던 점에 대해 칭찬하는 글을 완성해 봅니다.

> **채점 기준**
>
> 친구에게 고마웠던 점이 드러나게 칭찬하는 글을 알맞게 썼으면 정답입니다.

112쪽

1 ❶ │ │미│술│ V │준│비│물│ │

  ❷ │ │어│려│운│ V │수│학│ V │문│제│

2 ❶ │무│거│운│ 짐을 들어 주어서 고마워.

  ❷ │계│단│을 내려갈 때 도와주어서 고마워.

3 │ │가│방│을│ V │대│신│ V │들│어│ V │
  │주│었│다│.│ │

113쪽

> 달래야, 내가 축구 실력이 늘지 않아서 힘들어할 때 ㉠ 힘내라고 말해 주어서 고마워! 정말 큰 힘이 되었어.
> 네 덕분에 다시 축구 연습을 열심히 할 수 있어서 기뻤어.
>
> 기찬이가

◉ 기찬이가 달래에게 어떤 점이 고마웠는지 기찬이가 달래에게 한 말을 읽고 칭찬하는 글을 완성해 봅니다.

채점 기준

구분		답안 내용	
평가 기준		대화 글에서 기찬이가 했던 말을 넣어서 고마웠던 점이 잘 드러나게 칭찬하는 글을 완성했습니다.	상
		칭찬하는 글을 완성해 썼으나 띄어쓰기나 맞춤법이 틀린 부분이 있습니다.	중
		기찬이가 달래에게 고마웠던 점이 잘 드러나지 않게 썼습니다.	하

(**더 알아보기**)

자신을 칭찬하는 친구에게 드는 마음 ㉠

• 칭찬하는 친구에게 고마운 마음이 듭니다.

• 더 친하게 지내고 싶은 마음이 듭니다.

• 자신도 그 친구를 칭찬하고 싶은 마음이 듭니다.

115쪽 똑똑한 하루 글쓰기 미리 보기

 - 고 마 움 , - 칭 찬 ,

- 겸 손

116~117쪽 · 똑똑한 하루 글쓰기

1 (1) 그렇게 말해 주어서 정말 | 기 | 뻐 |.

(2) 연습할 때 힘들었는데 네 말을 들으니 | 힘 | 이 나.

2 ❶ 그렇게 | 말 | 해 | 주 | 어 | 서 | 정말 기뻐.

❷ 연습할 때 | 힘들었는데 | 네 | 말 | 을 | 들 | 으 | 니 |
| 힘 | 이 | 나 |.

3

	그	렇	게	V	말	해	V	주	어
서	V	정	말	V	기	뻐	.	연	습
할	V	때	V	힘	들	었	는	데	V
네	V	말	을	V	들	으	니	V	힘
이	V	나	.						

1 (1) 그림 속 남자아이의 말을 통해 기뻐하고 있음을
알 수 있습니다.

(2) 그림 속 남자아이의 말을 통해 친구의 칭찬하는
말을 들으니 힘이 난다는 것을 알 수 있습니다.

2 **1**에서 쓴 대답하는 말을 두 문장으로 다시 써 봅니다.

3 **2**에서 쓴 문장을 넣어 칭찬하는 말에 대한 대답하는
말을 완성해 봅니다.

채점 기준

칭찬하는 말에 대한 대답하는 말을 알맞게 썼으면 정답
입니다.

118쪽 · 똑똑한 하루 글쓰기 받아쓰기

1 ❶

	발	표	를	V	잘	하	던	데	?

❷

	많	이	V	좋	아	졌	구	나	.

2 ❶ 칭 찬 하는 말을 들으니 힘이 나.

❷ 너는 달 리 기 를 잘하잖아.

3

	아	니	야	,	네	가	V	더	V
잘	했	어	.						

119쪽 · 똑똑한 하루 글쓰기 마무리

⟨예⟩ 그렇게 말해 주어서 정말 고마워. 너는 태권도를 잘하
잖아. 나는 네가 부러워.

⟨예⟩ 칭찬해 주어서 고마워. 하지만 네 목소리도 멋있는걸?
친구들이 네 목소리 좋다고 항상 칭찬해 주잖아.

◎ 밤톨이의 칭찬하는 말에 대한 달래의 대답하는 말을
써 봅니다.

채점 기준

구분	답안 내용	
평가 기준	칭찬하는 말에 대한 대답하는 말을 알맞게 썼습니다.	상
	칭찬하는 말에 대한 대답하는 말을 자세하게 썼으나 맞춤법과 띄어쓰기가 틀린 부분이 있습니다.	중
	칭찬하는 말에 대한 대답하는 말을 한 문장으로 간단하게 썼습니다.	하

{ 더 알아보기 }

칭찬하는 말을 듣고 할 수 있는 말 ⟨예⟩

감사하기	고마워!
기쁨 표현하기	그렇게 말해 주어서 정말 기뻐!
감탄하기	와! 정말 신난다.
상대방 칭찬하기	아니야, 네가 더 잘했어.

5일

121쪽 — 똑똑한 하루 글쓰기 | 미리 보기

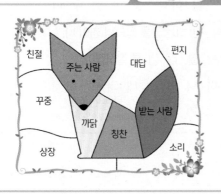

친절
주는 사람
대답
편지
꾸중
받는 사람
까닭
칭찬
상장
소리

124쪽 — 똑똑한 하루 글쓰기 | 받아쓰기

1 ❶ 환경미화원님

　❷ 칭찬 ∨ 상장으로

2 ❶ 동네를 깨끗하게 청소 해 주셨습니다.

　❷ 쓰레기 를 치워 주십니다.

3 거리가 ∨ 깨끗해졌어요 .

122~123쪽 — 똑똑한 하루 글쓰기

1 (1) 불이 났을 때 재빨리 출동해서 불 을 꺼 주셨습니다.

　(2) 위험 에 처한 사람들을 구해 주셨습니다.

2 소방관님 덕분에 우리가 안전하게 지낼 수 있습니다.

3

　　　　　　　소방관님

　위 소방관님께서는 ᄢ 불이 났을 때 재빨리 출동해서 불을 꺼 주시고, ᄢ 위험에 처한 사람들을 구해 주셨습니다.

　소방관님 ᄢ 덕분에 우리가 안전하게 지낼 수 있기에 이 칭찬 상장으로 고마운 마음을 전합니다.

　　　　　　　밤톨 드림

1 (1) 소방관님께서는 불이 났을 때 재빨리 출동해서 불을 꺼 주신다고 하였습니다.

　(2) 소방관님께서는 위험에 처한 사람들을 구해 주신다고 하였습니다.

2 보기 에서 알맞은 말을 골라 밤톨이가 소방관님을 칭찬하고 싶은 까닭을 써 봅니다.

3 1과 2에서 쓴 내용을 넣어 소방관님께 드릴 칭찬 상장을 완성해 봅니다.

채점 기준

　소방관님을 칭찬하고 싶은 점과 칭찬하고 싶은 까닭을 넣어 칭찬 상장을 완성했으면 정답입니다.

125쪽 — 똑똑한 하루 글쓰기 | 마무리

ᄢ

칭찬 상장

의사 선생님

위 의사 선생님께서는 우리가 아플 때 친절하게 대해 주시고 치료해 주셨습니다.

의사 선생님 덕분에 우리가 건강하게 지낼 수 있기에 이 칭찬 상장으로 고마운 마음을 전합니다.

20○○년 4월 25일

천재초등학교 2학년 3반

김서윤 드림

◎ 칭찬 상장에 들어갈 내용을 모두 써서 칭찬 상장을 만들어 봅니다.

채점 기준

구분	답안 내용	
평가 기준	상을 받는 사람, 칭찬하고 싶은 점, 칭찬하고 싶은 까닭, 상을 주는 사람이 모두 들어가게 칭찬 상장을 만들었습니다.	상
	칭찬 상장에 들어가는 내용을 모두 넣어 칭찬 상장을 만들었으나 맞춤법이나 띄어쓰기가 틀린 부분이 있습니다.	중
	칭찬 상장에 들어가는 내용 중 한두 가지를 빼고 만들었습니다.	하

특강 똑똑한 하루 창의·융합·코딩

127쪽

친구는 교실 청소를 다 끝내니 나타나서 "다 된 농 사 에 낫 들 고 덤 빈 다"라는 말처럼 참견을 했다.

128쪽

○ '관심을 가지고 주의 깊게 살핌. 또는 그 시선.'이라는 뜻의 낱말은 '주목', '실제로 갖추고 있는 힘이나 능력.'이라는 뜻의 낱말은 '실력', '일정한 사람들이 어떤 목적을 가지고 나감.'이라는 뜻의 낱말은 '출동'입니다.

{ 왜 틀렸을까? }

• **조심**: 잘못이나 실수가 없도록 말이나 행동에 마음을 씀.
  ⑩ 우리 누나는 조심이 많은 사람이다.
• **재주**: 무엇을 잘할 수 있는 타고난 능력과 슬기.
  ⑩ 형은 손으로 무엇을 만드는 재주가 뛰어나다.
• **출발**: 어떤 곳을 향하여 길을 떠남.
  ⑩ 기차의 출발 시간이 다가오고 있었다.

129쪽

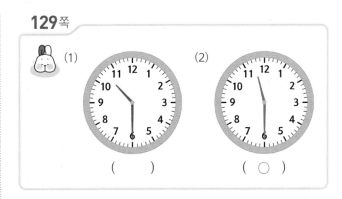

(1)   (2)

( )   (○)

○ 후반전 경기가 시작하는 11시 30분을 시계에 바르게 표시한 것은 (2)입니다.

130쪽

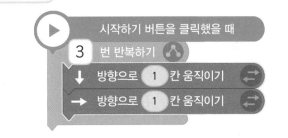

시작하기 버튼을 클릭했을 때
3 번 반복하기
↓ 방향으로 1 칸 움직이기
→ 방향으로 1 칸 움직이기

○ 소방관님은 ↓ 방향으로 1칸, → 방향으로 1칸씩 3번 반복해야 불을 모두 <u>끄고</u> 소방서에 도착할 수 있습니다.

131쪽

교통경찰님께서는 매일 아침마다 복잡한 사거리에서 교 통 정 리를 해 주십니다.

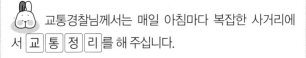

○ 그림이 나타내는 글자를 찾아 쓰면 칭찬 상장에 들어갈 말을 알 수 있습니다.

평가 · 누구나 100점 테스트

132~133쪽

1 칭찬하는 글
2 (1) ○
3 인사
4 서윤
5 (2) ○
6 고마운
7 (3) ×
8 (2) ○
9 환경미화원님
10 (1) ① (2) ②

1 칭찬하는 글은 어떤 사람의 좋은 점이나 그 사람이 잘하는 것을 찾아 여러 사람에게 알리거나 그 사람에게 전달하기 위하여 쓰는 글입니다.

2 친구인 서윤이가 인사를 잘하는 점을 찾아 칭찬하는 글을 쓴 것입니다.

┌─ 왜 틀렸을까? ─┐
(2) 고마웠던 점으로 칭찬하는 글을 쓸 때에는 친구가 청소를 도와주어서 고마웠거나 친구가 어려운 문제를 푸는 방법을 알려 주었을 때 고마웠던 마음을 담아 칭찬하는 글을 쓸 수 있습니다.

3 그림과 글을 통해 서윤이가 인사를 잘한다는 것을 알 수 있습니다.

4 서윤이가 칭찬하는 글에 들어갈 자신의 생각이나 느낌을 잘 말했습니다.

┌─ 왜 틀렸을까? ─┐
희수의 말 '나는 더 잘해.'를 '네가 부러워.'나 '나도 젓가락질 연습을 열심히 해야겠어.' 등으로 고쳐 써야 합니다.

5 '노래를 열심히 연습해서 실녁이 많이 좋아졌구나.'에서 '실녁'은 '실력'으로 고쳐 써야 합니다.

6 미술 시간에 찰흙을 나누어 준 지수에게 고마웠던 점을 떠올려 쓴 칭찬하는 글입니다.

7 칭찬하는 말을 듣고 대답하는 말을 쓸 때에는 고마움을 표시하고 상대를 같이 칭찬해 줍니다.

┌─ 왜 틀렸을까? ─┐
(3) 칭찬하는 말을 듣고 대답하는 말을 쓸 때에는 잘난 체하는 듯이 쓰는 것이 아니라 겸손한 태도로 써야 합니다.

8 진심을 담아 고마움을 표시한 것은 (2)입니다.

9 칭찬 상장에 들어간 칭찬하고 싶은 점과 칭찬하고 싶은 까닭을 통해 환경미화원님께 드릴 상장임을 알 수 있습니다.

10 ㉠은 환경미화원님을 칭찬하고 싶은 점이고, ㉡은 환경미화원님을 칭찬하고 싶은 까닭입니다.

┌─ 더 알아보기 ─┐

칭찬 상장에 들어갈 내용 (예)

┌─────────────────────────────┐
│   칭찬 상장   │
│   │
│ ① [환경미화원님   ] │
│   │
│ ② [위 환경미화원님께서는 매일 아침마다 │
│   우리 동네를 깨끗하게 청소해 주셨습니다.] │
│   │
│ ③ [환경미화원님 덕분에 우리가 깨끗한 동 │
│   네에서 지낼 수 있기에 이 칭찬 상장으로 │
│   고마운 마음을 전합니다.]   │
│   │
│   20○○년 4월 7일   │
│ ④   천재초등학교 2학년 1반   │
│   기찬 드림   │
└─────────────────────────────┘

① 상을 받는 사람을 써요.
② 칭찬하고 싶은 점을 써요.
③ 칭찬하고 싶은 까닭을 써요.
④ 상을 주는 사람을 밝혀요.

한 주 동안
수고했어요!

136~137쪽   4주에는 무엇을 공부할까? ❷

1-1 선생님께 있었던 일   1-2 (1) ○
2-1 (2) ×   2-2 사 실

1-1 가족 신문은 가족의 소식들을 싣는 신문입니다. 가족 신문 기사에는 가족에게 있었던 일과 그 일에 대한 생각이나 느낌, 제목을 씁니다. 선생님께 있었던 일은 가족 신문 기사에 쓸 내용으로 알맞지 않습니다.

1-2 가족에게 있었던 일을 알맞게 말한 것은 (1)입니다.

《 왜 틀렸을까? 》
우리 반 친구들에게 있었던 일은 학급 신문 기사에 들어갈 내용입니다.

2-1~2-2   가족 신문 기사의 제목은 자신의 생각을 담기보다는 사실을 짧게 요약해서 써야 합니다.

1일

139쪽   똑똑한 하루 글쓰기 미리 보기

140~141쪽   똑똑한 하루 글쓰기

1 (1) 지난달에 동 생 세찬이에게 있었던 일이다.
 (2) 세찬이가 초 등 학 교에 입학했다.
2 지난달에 동 생 세찬이가 초 등 학 교 에 입 학 했 다.
3 예 지난달에 동생 세찬이가 초등학교에 입학한 일을 가족 신문 기사로 써 봐야지.

1 지난달에 세아의 동생 세찬이가 초등학교에 입학했습니다.

2 세찬이에게 있었던 일을 한 문장으로 다시 써 봅니다.

3 2에서 쓴 문장을 사용해 세아가 가족 신문 기삿거리로 정한 일을 써 봅니다.

채점 기준
가족에게 있었던 일을 언제, 가족들 중 누구에게 있었던 일인지 잘 정리해 썼으면 정답으로 합니다.

142쪽   똑똑한 하루 글쓰기 받아쓰기

1 ❶ 옆 ∨ 반 ∨ 친 구 들
 ❷ 현 장 ∨ 체 험 학 습
2 ❶ 초등학교에 입 학 했어.
 ❷ 소 꿉 친 구 가 이사를 갔어.
3 일 ∨ 등 을 ∨ 해 서 ∨ 상
장 을 ∨ 받 았 어 .

143쪽   똑똑한 하루 글쓰기 마무리

예 2월 7일에 가족과 함께 서울로 이사 온 일을 가족 신문 기사로 써 봐야지.

○ 만화에 나타난 상황을 생각해 보고, 만화의 내용에 맞게 가족에게 있었던 일을 정리해 써 봅니다.

채점 기준

구분	답안 내용	
	만화의 내용에 맞게 가족에게 있었던 일을 정리해 썼습니다.	상
평가 기준	만화의 내용에 맞게 가족에게 있었던 일을 정리해 썼지만 맞춤법이나 띄어쓰기가 틀린 부분이 있습니다.	중
	가족에게 있었던 일을 썼지만 만화의 내용에 맞지 않는 부분이 있습니다.	하

2일

145쪽 | 똑똑한 하루 글쓰기 미리 보기

❶ 언제
❷ 자세히
❸ 사실

아	이	유	자
언	제	터	세
호	에	대	히
미	사	실	진

146~147쪽 | 똑똑한 하루 글쓰기

1 (1) 5월 25일 금 요 일 에 있었던 일이다.
  (2) 서우가 수 학 경시대회에서 상을 탔다.
  (3) 서우는 상장과 트 로 피 를 받았다.

2 ❶ 5월 25일 금 요 일 에 서우가 수 학 경 시 대 회 에 서 상 을 탔다.
  ❷ 서우는 상 장 과 트 로 피 를 받았다.

3

	5	월	∨	25	일	∨	금	요	일
에	∨	서	우	가	∨	수	학	∨	경
시	대	회	에	서	∨	상	을	∨	탔
다	.		서	우	는	∨	상	장	과	∨
트	로	피	를	∨	받	았	다	.	

1 (1) 5월 25일 금요일에 있었던 일입니다.
  (2) 준우의 동생 서우가 수학 경시대회에서 상을 탔습니다.
  (3) 상을 탄 서우는 상장과 트로피를 받았습니다.

2 1에서 답한 서우에게 있었던 일을 두 문장으로 다시 정리해 써 봅니다.

3 2에서 쓴 문장을 넣어 서우에게 있었던 일이 잘 나타나도록 내용을 정리해 써봅니다.

채점 기준

서우에게 있었던 일이 잘 드러나게 내용을 정리했으면 정답으로 합니다.

148쪽 | 똑똑한 하루 글쓰기 받아쓰기

1 ❶ 잘 됐 구 나 .
  ❷ 소 식 을 ∨ 써 야 겠 다 !

2 ❶ 축 하 해 줘서 고마워.
  ❷ 트로피도 같 이 받았어.

3 　 좋 은 ∨ 결 과 를 ∨ 거 둬 서 ∨ 엄 마 도 ∨ 기 뻐 !

149쪽 | 똑똑한 하루 글쓰기 마무리

예

	1	월		3	일		월	요	일	,
쌍	둥	이		동	생	이		태	어
났	다	.

예

	10	월		13	일		목	요	일	,
어	머	니	께	서			그	동	안
그	리	신		그	림	으	로		전
시	회	를		여	셨	다	.

예

	12	월		24	일		토	요	일	,
할	아	버	지	께	서		모	으	신
돈	을		어	려	운		사	람	들
을		위	해		기	부	하	셨	다	.

⊙ 그림에 나타난 가족에게 있었던 일을 생각하며 날짜를 쓰고, 보기 의 문장 중 한 가지를 골라 써 봅니다.

채점 기준

구분	답안 내용	
평가 기준	그림 아래의 날짜를 쓰고, 보기 중 한 가지를 골라 맞춤법과 띄어쓰기에 맞게 잘 썼습니다.	상
	그림 아래의 날짜를 쓰고, 보기 중 한 가지를 골라 썼지만 맞춤법이나 띄어쓰기가 틀린 부분이 있습니다.	중
	그림의 내용과 관련 없는 문장을 썼습니다.	하

〔 더 알아보기 〕

가족 신문 기사를 쓸 때에는 가족에게 있었던 일을 언제, 가족 중 누구에게 있었던 일인지 자세히 씁니다.

3일

151쪽 똑똑한 하루 글쓰기 미리 보기

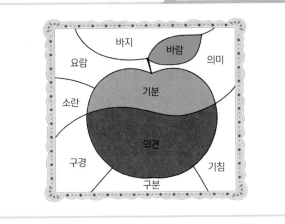

152~153쪽 똑똑한 하루 글쓰기

1 (1) 4월 20일에 아버지께서 마 라 톤 대회에 참가하셨다.

(2) 아버지께서는 가족을 생각하며 힘을 내서 완 주 하셨다.

2 ❶ 가족을 생각하며 힘을 내서 완주하신 아버지의 모습이 정 말 멋 있 었 다.

❷ 다음 대회에서도 아버지께서 좋 은 성 적 을 거두시길 바란다.

3 4월 20일에 아버지께서 마라톤 대회에 참가하셨다. 아버지께서는 가족을 생각하며 힘을 내서 완주하셨다. ❶ 예 가족을 생각하며 힘을 내서 완주하신 아버지의 모습이 정말 멋있었다. ❷ 예 다음 대회에서도 아버지께서 좋은 성적을 거두시길 바란다.

1 아버지께서 마라톤 대회에 참가하셔서 가족을 생각하며 힘을 내서 완주하셨습니다.

2 **1**에서 답한 아버지께 있었던 일에 어울리는 생각이나 느낌을 완성해 써 봅니다.

〔 더 알아보기 〕
아버지께서 마라톤을 완주하신 일에 대해 어떤 기분이 들었는지, 자신의 의견이나 바람은 어떠한지 써 봅니다.

3 **2**에서 쓴 문장을 넣어 가족 신문에 들어갈 생각이나

느낌을 써서 가족 신문 기사를 완성해 봅니다.

채점 기준
아버지께 있었던 일에 어울리게 생각이나 느낌을 잘 정리해 썼으면 정답으로 합니다.

154쪽 똑똑한 하루 글쓰기 받아쓰기

1 ❶ 정 말 ∨ 멋 져 요 !

❷ 좋 은 ∨ 성 적

2 ❶ 같이 응원을 가면 좋 겠 어 요 !

❷ 끝 까 지 달리신 아빠

3 아 버 지 께 서 ∨ 마 라 톤 ∨ 대 회 에 ∨ 참 가 하 신 대 .

155쪽 똑똑한 하루 글쓰기 마무리

예
아	버	지	께	서		새		자
동	차	를		항	상		안	전	하
게		운	전	하	시	기	를		바
란	다	.						

예
아	버	지	께	서		새		자
동	차	로		우	리		가	족	을
좋	은		곳	에		많	이		데
려	다	주	시	면		좋	겠	다	.

○ 아버지께서 새 자동차를 사신 상황을 떠올리며 가족 신문 기사에 들어갈 생각이나 느낌 중 한 가지를 골라 써 봅니다.

채점 기준

구분		답안 내용	
평가 기준	보기 중 한 가지를 골라 맞춤법과 띄어쓰기에 맞게 잘 썼습니다.		상
	보기 중 한 가지를 골라 썼지만 맞춤법이나 띄어쓰기가 틀린 부분이 있습니다.		중
	가족 신문 기사의 내용과 관련 없는 생각이나 느낌을 썼습니다.		하

4일

157쪽 — 똑똑한 하루 글쓰기 미리 보기

 – 내용,  – 사실,

🤖 – 소제목

158~159쪽 — 똑똑한 하루 글쓰기

1 (1) 10월 5일 토요일, 전 주 로 가족 여행을 다녀왔다.

(2) 한 복 을 입고 한옥 마을을 보았다.

(3) 전 주 비 빔 밥 도 먹었다.

2 ❶ 전 주 로 가 족 여 행 다녀오다

❷ 한 복 입 고 한옥 마을 보고, 전 주 비 빔 밥 먹 어 ……

1 (1) 글쓴이의 가족은 전주로 가족 여행을 다녀왔습니다.

(2) 글쓴이의 가족은 한복을 빌려 입고 한옥 마을을 구경했습니다.

(3) 글쓴이의 가족은 전주비빔밥을 먹었습니다.

2 ❶에서 정리한 가족에게 있었던 일이 잘 드러나게 사실을 짧게 요약해 제목과 소제목을 붙여 봅니다.

(더 알아보기)

전주 한옥 마을

　전라북도 전주 풍남동 일대에는 700여 채의 한옥이 마을을 이루고 있는 우리나라 최대의 한옥 마을이 있습니다. 이곳은 일제 강점기 일본 상인들에 대항해 생겨난 한옥촌으로, 세월이 흐른 지금은 남녀노소 누구나 즐겨 찾는 관광지가 되었습니다. 한복을 입고 오가는 사람들과 전통 공연, 비빔밥과 콩나물국밥 등의 먹거리까지 더해져 전통과 문화가 살아 있는 장소랍니다.

160쪽 — 똑똑한 하루 글쓰기 받아쓰기

1 ❶ 전 주 에 V 다 녀 왔 다 .

❷ 두 V 표 를 V 받 아

2 ❶ 한옥 마을 곳 곳 에 는 한복을 빌려주는 가게들이 있었다.

❷ 다음에 또 가족들과 여행을 가고 싶 다 .

3 빼 놓 을 V 수 V 없 는 V 별 미 였 다 .

161쪽 — 똑똑한 하루 글쓰기 마무리

(1) 예 할머니의 칠순 잔치

(2) 예 케이크와 편지를 준비해 축하해 드리다

○ 만화를 읽고 가족에게 있었던 일이 잘 드러나게 사실을 요약해 제목과 소제목을 써 봅니다.

채점 기준

구분	답안 내용	
평가 기준	만화의 내용에 맞게 사실을 짧게 요약해 제목과 소제목을 각각 잘 썼습니다.	상
	만화의 내용에 맞게 제목과 소제목을 각각 썼지만 자신의 생각을 함께 담아 썼습니다.	중
	제목과 소제목에 만화의 내용과 다른 부분이 있습니다.	하

(더 알아보기)

나이를 나타내는 말 예

20살: 약관

40살: 불혹

50살: 지천명

60살: 육순, 이순

61살: 환갑, 회갑

70살: 칠순, 고희

77살: 희수

80살: 팔순

88살: 미수

5일

163쪽 _{똑똑한} 하루 글쓰기 미리 보기

❶ 가 족
❷ 제 목
❸ 사 진

164~165쪽 _{똑똑한} 하루 글쓰기

1 (1) 엄마와 아빠의 열 번째 결혼기념일
   (2) 함께 저녁 식사 하고, 직접 쓴 편지도 드려……

2 ❶ 9월 20일 토요일은 엄마와 아빠의 열 번째 결혼기념일이었다.
   ❷ 자주 가는 식당에서 함께 저녁 식사를 하고, 동생과 내가 직접 쓴 편지도 드렸다.

3 ㉠ 앞으로도 우리 가족에게 행복한 일만 있기를 바란다.
   / ㉠ 엄마와 아빠의 결혼기념일에 함께할 수 있어서 기뻤다.

1 유아의 가족에게 있었던 일이 잘 드러나게 사실을 짧게 요약해 제목과 소제목을 써 봅니다.

> **〔 더 알아보기 〕**
>
> 가족 신문 기사의 제목은 기사의 내용을 쓰기 전에 붙일 수도 있고, 기사를 쓴 후에 붙일 수도 있습니다. 유아는 가족에게 있었던 일과 그 일에 대한 생각이나 느낌을 쓰기 전에, 기사의 제목을 먼저 써 본 것입니다.

2 **1**에서 답한 가족 신문 기사의 제목에 어울리게 유아의 가족에게 있었던 일을 두 문장으로 정리해 써 봅니다.

3 가족 신문 기사의 내용에 알맞게 기사에 들어갈 생각이나 느낌을 써 봅니다.

> **채점 기준**
>
> **보기** 의 문장 중 한 가지를 골라 알맞게 썼으면 정답입니다.

166쪽 _{똑똑한} 하루 글쓰기 받아쓰기

1 ❶ 기 자 가 ∨ 되 어 서
  ❷ 편 지 도 ∨ 드 렸 어 .
2 ❶ 우리 가족에게 좋은 일만 있기를 바 라 .
  ❷ 너희의 가족 신문 기 삿 거 리 도 궁금하다.
3 열 ∨ 번 째 ∨ 결 혼 기 념 일 을 ∨ 맞 이 하 셨 어 .

167쪽 _{똑똑한} 하루 글쓰기 마무리

㉠
가족과 함께한 등산
정상 정복에 성공하다

지난 주말, 가족과 함께 동네 뒷산으로 등산을 갔다. 생각보다 가파르고 힘들었지만 정상까지 모두 무사히 도착했다.
정상까지 올라 뿌듯했고, 등산을 하니 더욱 건강해지는 기분이 들었다. 가족끼리 앞으로도 더 많은 시간을 함께 했으면 좋겠다.

㉠
전유진, 피아노 콩쿠르 입상
완벽한 연주로 우수상 수상

2월의 마지막 날, 동생 유진이가 피아노 콩쿠르에 참가했다. 몇 달간 열심히 연습한 동생의 피아노 연주는 흠잡을 데 없이 완벽했다. 유진이는 대회에서 우수상을 수상했다.
그동안 최선을 다해 연습한 동생의 노력에 박수를 보내며, 앞으로도 동생의 멋진 연주를 들을 수 있기를 기대한다.

◉ 가족에게 있었던 일, 생각이나 느낌, 제목을 써서 한 편의 가족 신문 기사를 완성해 봅니다.

구분	답안 내용	
평가 기준	언제, 누구에게 있었던 일인지 가족에게 있었던 일을 쓰고, 그 일에 대한 생각이나 느낌과 기사의 제목을 모두 잘 썼습니다.	상
	가족 신문 기사에 들어갈 내용 중 일부가 빠져 있거나 맞춤법이나 띄어쓰기가 틀린 부분이 있습니다.	중
	가족에게 있었던 일만 간단하게 썼습니다.	하

특강 똑똑한 하루 창의·융합·코딩

169쪽

아끼는 지우개를 잃어버린 찬영이는 우 거 지 상 이 되었다.

170쪽

○ '육상 경기에서 42.195킬로미터를 달리는 장거리 경주 종목.'이라는 뜻에 알맞은 낱말은 '마라톤'이고, '목표한 지점까지 다 달림.'이라는 뜻에 알맞은 낱말은 '완주'입니다. '특별히 좋은 맛. 또는 그 맛을 지닌 음식.'이라는 뜻을 가진 낱말은 '별미'입니다.

〔 왜 틀렸을까? 〕

• **테니스**: 중앙에 네트를 치고, 양쪽에서 라켓으로 공을 주고받아 승부를 겨루는 구기 경기.

• **질주**: 빨리 달림.

• **취미**: 전문적으로 하는 것이 아니라 즐기기 위하여 하는 일.

171쪽

 수학 경시대회의 시작 시각은 , 종료 시각은 예요.

○ 수학 경시대회는 2시에 시작하고, 1시간 30분 동안 시험이 치러진다고 했으므로 종료 시각은 3시 30분입니다. 알맞은 시각을 시계에 각각 그려 봅니다.

172쪽

○ 아버지께서 마라톤 대회에 참가하신 장면을 보고, 서로 다른 부분 다섯 군데를 모두 찾아봅니다.

173쪽

 유아네 가족이 도착한 식당의 이름은 후 룩 파 스 타 예(이에)요.

○ 코딩 명령에 따라 이동하면 다음과 같습니다.

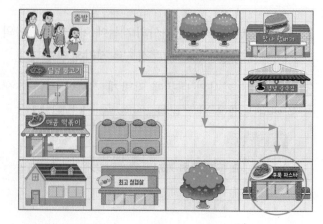

평가   누구나 100점 테스트

174~175쪽

1 가 족   **2** (2) ○

3 (1) 5월 25일 금요일 (2) 서우

4 (1) ○   **5** 선호

6

아	버	지	께	서	∨	새	∨
자	동	차	를	∨	사	셨	다	.

7 보람   **8** (2) ×

9 전 주 로 가족 여행 다녀오다

10

엄	마	와	∨	아	빠	의	∨
결	혼	기	념	일	에	∨	함
께	할	∨	수	∨	있	어	서	∨
기	뻤	다	.				

1 가족 신문은 가족의 소식들을 싣는 신문입니다.

2 제시된 그림에 알맞은 기삿거리는 동생이 초등학교에 입학한 일입니다.

3 5월 25일 금요일에 서우에게 있었던 일입니다.

4 쌍둥이 동생이 태어난 일에 어울리는 그림은 (1)입니다.

> **(왜 틀렸을까?)**
> 그림 (2)에 알맞은 일은 '어머니께서 그동안 그리신 그림으로 전시회를 여셨다.' 등입니다.

5 제시된 가족 신문 기사에서 있었던 일은 아버지께서 마라톤 대회에서 완주하신 일입니다. 이 일에 어울리는 생각이나 느낌을 알맞게 말한 친구는 선호입니다.

> **(왜 틀렸을까?)**
> 이 글에 아버지께서 직접 요리를 하셨다는 내용은 나타나 있지 않습니다.

6 아버지께서 새 자동차를 사신 일을 기삿거리로 떠올려 쓴 가족 신문 기사입니다. 빈칸에 알맞은 낱말을 써서 문장을 완성하고 따라 써 봅니다.

7 가족회의에서 전주가 두 표를 받아 가족 여행 장소로 선정되었다고 하였으므로, 알맞게 말한 친구는 보람입니다.

8 글쓴이의 가족은 한복을 빌려 입고 경기전, 전동 성당 등을 관람하고 전주비빔밥을 먹었다고 하였습니다.

> **(왜 틀렸을까?)**
> 이 글에 바닷가의 절을 구경했다는 내용은 나타나 있지 않습니다.

9 가족 신문 기사에 나타난 가족에게 있었던 일을 사실대로 짧게 요약하여 가족 신문 기사 제목을 붙여야 합니다. 글쓴이의 가족은 전주로 가족 여행을 다녀왔으므로, 빈칸에 알맞은 낱말은 '전주'입니다.

10 제시된 가족 신문 기사의 일부를 보고, 엄마와 아빠께서 열 번째 결혼기념일을 맞이하신 사실을 알 수 있습니다. 빈칸에 알맞은 낱말을 써넣어 이 일에 대한 가족 신문 기사의 생각이나 느낌 부분을 완성하고 따라 써 봅니다.

다음 권에서
다시 만나요~!

편지 쓰기

기억에 남는 일을
일기로 남겨 봐요.

즐겁고 행복했던 일

날짜: 날씨:

제목:

슬프고 속상했던 일

날짜: 날씨:

제목: